어떤 교과서를 쓰더라도 언제나 **우등생**

32회 스케줄표 1·2

1주일에 4회씩 공부하면 본책을 학습하는 데 8주가 걸림

동영상 강의를
보면서 스스로 공부 시작!

동영상 강의 　홈스쿨링

오답노트

오답노트
표지 QR을
교재를 등록하.

*안드로이드만 가능

KB084690

1 **100까지의 수**

6~15쪽

날짜:　　　　1회

(1단계 + 2단계)　▶

3 여러 가지 모양

72~73쪽　15회

날짜:

(3단계)　▶

3 여러 가지 모양

68~71쪽　14회

날짜:

(1단계 + 2단계)

3 여러 가지 모양

58~67쪽　13회

날짜:

(1단계 + 2단계)　▶

2단원 완료

오답노트

오답노트 앱을 이용하여
틀린 문제를 복습해 보자!

2 덧셈과 뺄셈 (1)

56~57쪽　12회

날짜:

(창의융합)　▶

3 여러 가지 모양

74~77쪽　16회

날짜:

(단원평가)

3 여러 가지 모양

78~79쪽　17회

날짜:

(창의융합)　▶

3단원 완료

오답노트

오답노트 앱을 이용하여
틀린 문제를 복습해 보자!

4 덧셈과 뺄셈 (2)

80~89쪽　18회

날짜:

(1단계 + 2단계)　▶

4 덧셈과 뺄셈 (2)

90~95쪽　19회

날짜:

(1단계 + 2단계)　▶

4 덧셈과 뺄셈 (2)

96~99쪽　20회

날짜:

(1단계 + 2단계)　▶

본책은 모두 풀었어. 짝짝짝~!
평가 자료집은 학교에서 시험을 치르기 전에 풀어 보자.

6단원 완료

오답노트

오답노트 앱을 이용하여
틀린 문제를 복습해 보자!

6 덧셈과 뺄셈 (3)

154~160쪽　32회

날짜:

(단원평가) (창의융합)　▶

6 덧셈과 뺄셈 (3)

152~153쪽　31회

날짜:

(3단계)　▶

6 덧셈과 뺄셈 (3

146~151쪽　30

날짜:

(1단계 + 2단계)　▶

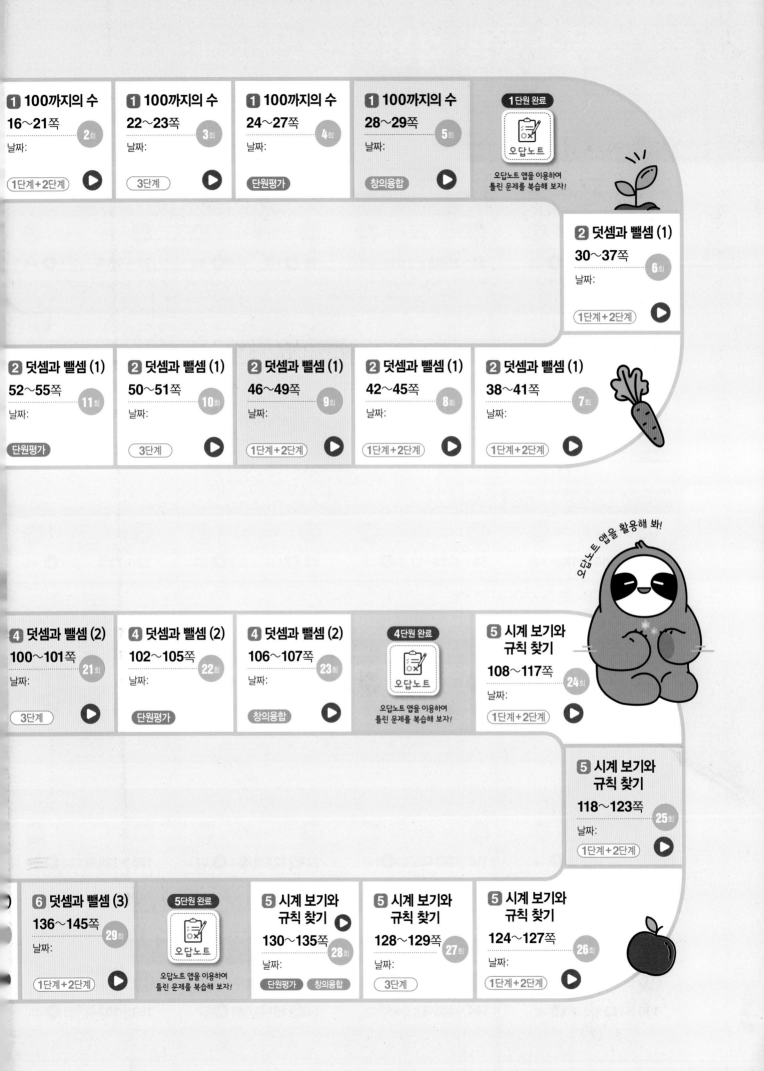

1 100까지의 수
16~21쪽   2회
날짜:
1단계+2단계

1 100까지의 수
22~23쪽   3회
날짜:
3단계

1 100까지의 수
24~27쪽   4회
날짜:
단원평가

1 100까지의 수
28~29쪽   5회
날짜:
창의융합

1단원 완료
오답노트
오답노트 앱을 이용하여
틀린 문제를 복습해 보자!

2 덧셈과 뺄셈 (1)
30~37쪽   6회
날짜:
1단계+2단계

2 덧셈과 뺄셈 (1)
52~55쪽   11회
날짜:
단원평가

2 덧셈과 뺄셈 (1)
50~51쪽   10회
날짜:
3단계

2 덧셈과 뺄셈 (1)
46~49쪽   9회
날짜:
1단계+2단계

2 덧셈과 뺄셈 (1)
42~45쪽   8회
날짜:
1단계+2단계

2 덧셈과 뺄셈 (1)
38~41쪽   7회
날짜:
1단계+2단계

오답노트 앱을 활용해 봐!

4 덧셈과 뺄셈 (2)
100~101쪽   21회
날짜:
3단계

4 덧셈과 뺄셈 (2)
102~105쪽   22회
날짜:
단원평가

4 덧셈과 뺄셈 (2)
106~107쪽   23회
날짜:
창의융합

4단원 완료
오답노트
오답노트 앱을 이용하여
틀린 문제를 복습해 보자!

5 시계 보기와 규칙 찾기
108~117쪽   24회
날짜:
1단계+2단계

5 시계 보기와 규칙 찾기
118~123쪽   25회
날짜:
1단계+2단계

6 덧셈과 뺄셈 (3)
136~145쪽   29회
날짜:
1단계+2단계

5단원 완료
오답노트
오답노트 앱을 이용하여
틀린 문제를 복습해 보자!

5 시계 보기와 규칙 찾기
130~135쪽   28회
날짜:
단원평가   창의융합

5 시계 보기와 규칙 찾기
128~129쪽   27회
날짜:
3단계

5 시계 보기와 규칙 찾기
124~127쪽   26회
날짜:
1단계+2단계

빅데이터로 더 강해진
우등생 수학
사용가이드

1-2 통합QR

개념 강의 동영상

문제풀이
강의 동영상

문제 생성기

수행평가
+
서술형

학습 애니메이션

학습 게임

모답노트

빅데이터를 활용한
단원 성취도 평가

취약점을 분석한 처방 문제 제공
단원 성취도 평가 풀기

Chunjae
Makes
Chunjae

▼

[우등생] 초등 수학 1-2

기획총괄	김안나
편집개발	김정희, 김혜민
디자인총괄	김희정
표지디자인	윤순미, 강태원
내지디자인	박희춘, 이혜진
제작	황성진, 조규영

발행일	2022년 1월 15일 3판 2022년 1월 15일 1쇄
발행인	(주)천재교육
주소	서울시 금천구 가산로9길 54
신고번호	제2001-000018호
고객센터	1577-0902

#홈스쿨링
#혼자공부하기

우등생
해법수학

1단원 28~29쪽

▶ 1번

▶ 3번

▶ 4번

민수　민수　동생　동생　엄마　엄마

2단원 56~57쪽

▶ 1번

▶ 3번

▶ 4번

3단원 78~79쪽

▶ 1번

▶ 2번

▶ 3번

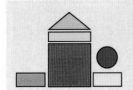 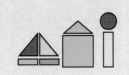 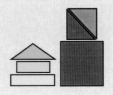 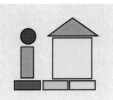

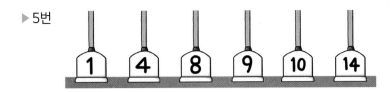

우등생 해법수학 1-2 붙임딱지 ❷

4단원 106~107쪽

▶ 1~3번

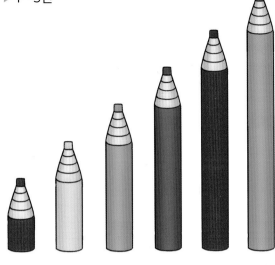

▶ 5번

▶ 6번

5단원 134~135쪽

▶ 1번

▶ 2번

▶ 3번

6단원 158~159쪽

▶ 1번

▶ 2번

▶ 3번

여러 가지 모양

규칙 만들기

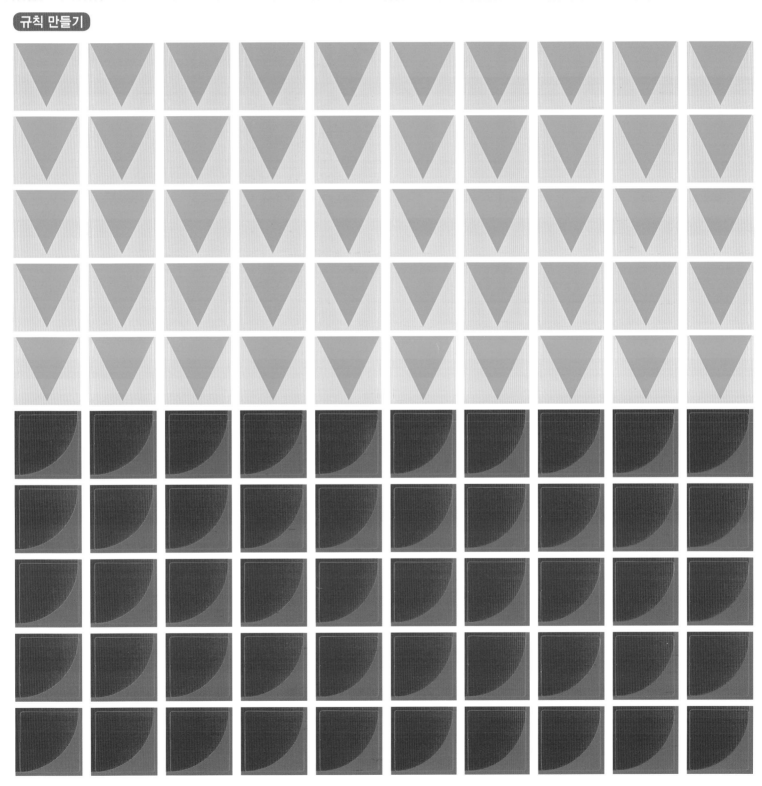

우등생 해법수학 1-2 떼었다 붙였다 할 수 있는 붙임딱지 ③

자르는 선

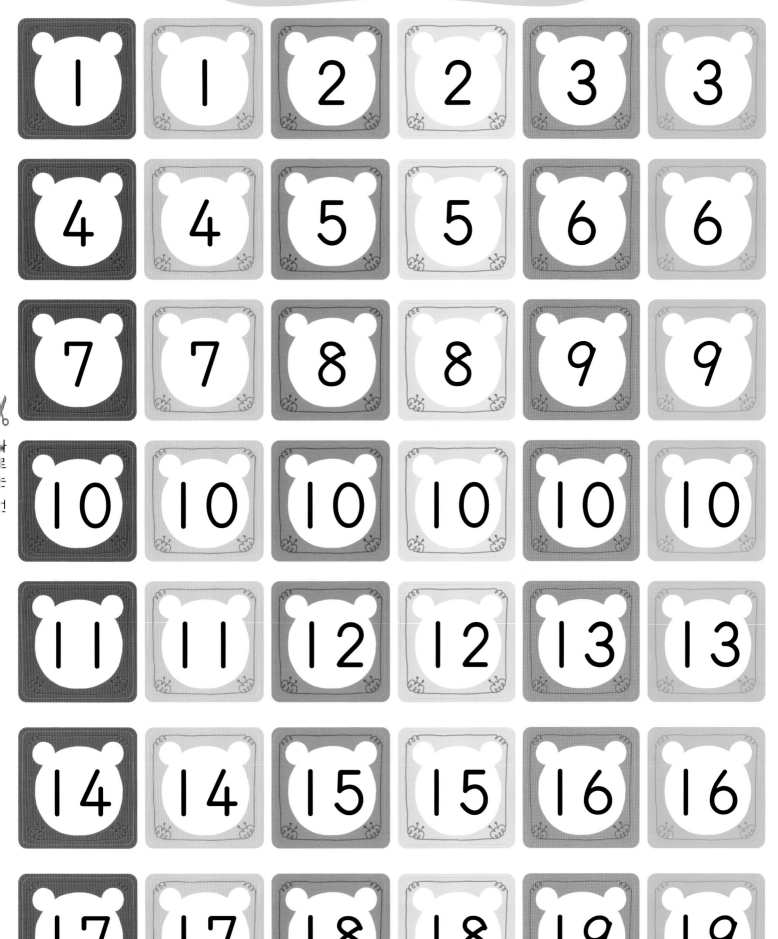

^빅데이터
우등생
해법수학

수학 | 1-2

구성과 특장

통합 QR코드

• 문제 생성기(20문제씩 생성)
• 단원 성취도 진단평가 제공
• 학습 애니메이션 제공

스마트폰으로 스캔 후 「홈 화면에 추가」하기를 이용하면
QR 코드가 없어도 이용이 가능합니다.

1 단계 교과서 개념

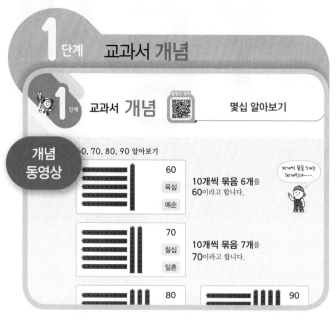

동영상으로 개념을 더 확실하게 익히기

2 단계 교과서 + 익힘책 유형 연습

수학 익힘 책에 나오는 다양한 교과 역량 문제

3 단계 서술형 문제 해결

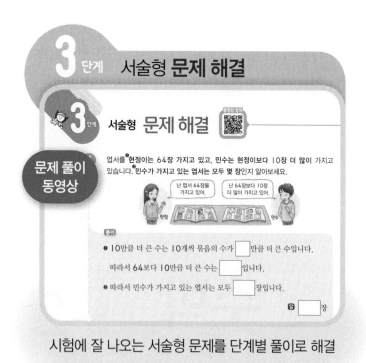

시험에 잘 나오는 서술형 문제를 단계별 풀이로 해결

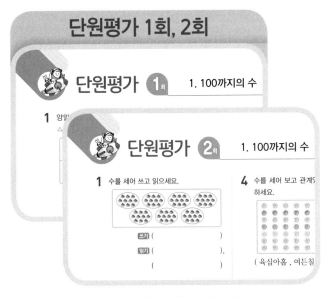

단원평가로 시험 대비

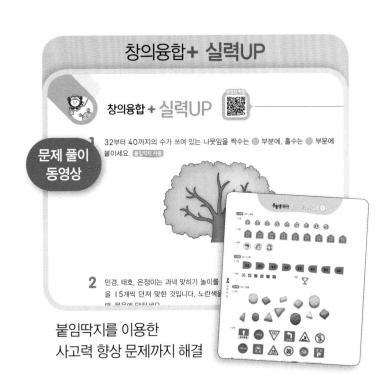

붙임딱지를 이용한
사고력 향상 문제까지 해결

평가자료집

실력 서술형 문제까지 풀어 보면서 각종 평가를 대비합니다.

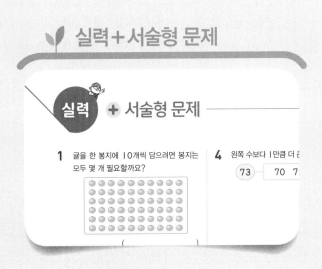

차례

친구들~
공부할 단원의
차례를 확인하세요.

100까지의 수

2는 짝수

우리 둘이 짝이야.

1은 홀수

이전에 배운 내용 확인하기

1 모두 몇인지 수로 나타내세요.

(1)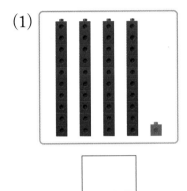

(2)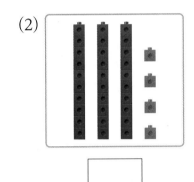

2 순서에 맞게 수를 써넣으세요.

23 24 ⬡ 26 27 ⬡ ⬡ 30

3 알맞은 말을 써넣으세요.

열   스물   ⬡   마흔   ⬡

지구로 떨어진 외계인

10개씩 묶음 8개

⇨ 팔십, 여든

QR 코드를 찍고 **퀴즈 영상 속** 문제도 함께 풀어 보아요.

개념 **1** 60, 70, 80, 90 알아보기

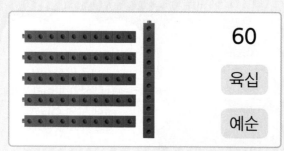

10개씩 묶음 6개를
60이라고 합니다.

10개씩 묶음 5개는 50인데……

10개씩 묶음 7개를
70이라고 합니다.

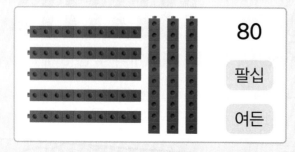

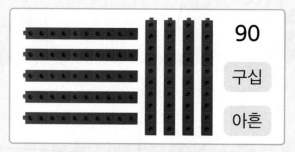

10개씩 묶음 8개 ⇨ **80**

10개씩 묶음 9개 ⇨ ☐

06 교육

확인 **1**   ☐ 안에 알맞은 수를 써넣으세요.

(1)

1 0개씩 묶음 7개   ⇨   ☐

(2)

1 0개씩 묶음 8개   ⇨   ☐

1 □ 안에 알맞은 수를 써넣으세요.

복숭아는 10개씩 묶음 ☐ 개이므로 ☐ 개입니다.

2 수를 세어 쓰고 읽으세요.

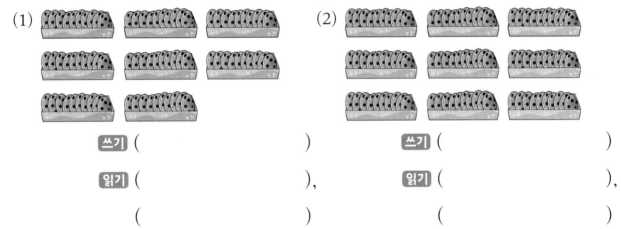

(1)

쓰기 (   )

읽기 (   ),

     (   )

(2)

쓰기 (   )

읽기 (   ),

     (   )

3 알맞게 이으세요.

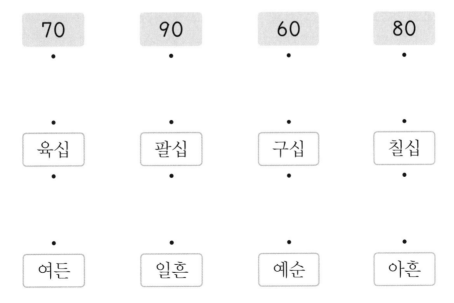

| 70 | 90 | 60 | 80 |

육십   팔십   구십   칠십

여든   일흔   예순   아흔

동영상 강의

99까지의 수 알아보기

개념 ① **99까지의 수 세기**

| 10개씩 묶음 7개 | 낱개 4개 |

74

칠십사

일흔넷

10개씩 묶음 7개와 낱개 4개를 74라고 합니다.

개념 ② **10개씩 묶어 세기**

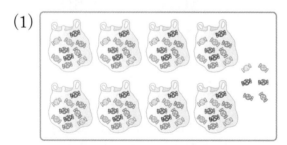

10개씩 묶음	낱개
5	13

⇩ 낱개를 10개씩 묶습니다.

10개씩 묶음	낱개
6	3

10개씩 묶음 6개와 낱개 3개이므로 [   ]입니다.

정답 63

확인 **1**   10개씩 묶음과 낱개의 수를 쓰고 □ 안에 알맞은 수를 써넣으세요.

(1)

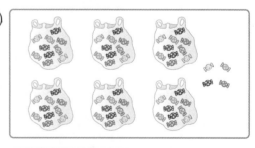

10개씩 묶음	낱개

⇨ [   ]

(2)

10개씩 묶음	낱개

⇨ [   ]

1 □ 안에 알맞은 수를 써넣으세요.

10개씩 묶음 ☐ 개와 낱개 ☐ 개는 ☐ 입니다.

1

100까지의 수

2 달걀의 수를 세어 쓰세요.

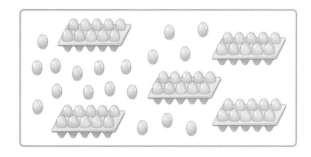

(   )

3 10개씩 묶고, 수를 쓰고 읽으세요.

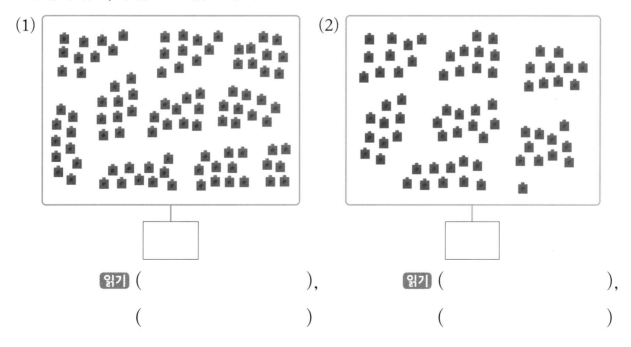

(1)

(2)

읽기 (   ),

읽기 (   ),

(   )

(   )

1 10개씩 묶고 □ 안에 알맞은 수를 써넣으세요.

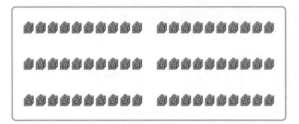

10개씩 묶음 □ 개는 □ 입니다.

2 □ 안에 알맞은 수를 써넣으세요.

(1) 10개씩 묶음 5개와 낱개 9개

⇨

(2) 10개씩 묶음 7개와 낱개 6개

⇨

중요
3 수를 세어 빈 곳에 알맞은 수를 써넣고 읽으세요.

10개씩 묶음	낱개

⇨ □

읽기 (   ),

(   )

중요
4 바둑돌은 **모두 몇 개**일까요?

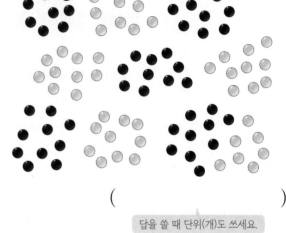

(   )

답을 쓸 때 단위(개)도 쓰세요.

5 알맞게 이어 보세요.

93	·	·	일흔둘
72	·	·	예순넷
64	·	·	아흔셋

6 어느 소극장 안의 모습입니다. **의자는 모두 몇 개**일까요?

(   )

빨간색 의자와 파란색 의자의
수를 모두 세어 쓰세요.

7 빵이 **한 상자에 10개씩 6상자와 낱개 20개**가 있습니다. 한 상자에 10개씩 모두 담으면 **빵은 모두 몇 상자**가 될까요?

> 한 상자에 10개씩 넣어 줄 테니 친구들과 나누어 먹으렴.

(   )

8 키위가 한 상자에 10개씩 들어 있습니다. 키위가 **5상자와 낱개 28개** 있을 때 키위는 모두 몇 개인지 알아보세요.

(1) 낱개 28개를 10개씩 묶으면 10개씩 몇 묶음과 낱개 몇 개가 될까요?

10개씩 묶음	낱개

(2) 키위는 모두 몇 개일까요?

(   )

9
추론

파란 공을 왼쪽 그림과 같은 세모 모양 상자에 담으려고 합니다. 파란 공을 담으려면 **세모 모양 상자는 몇 개 필요**할까요?

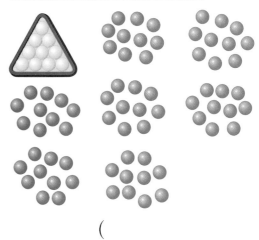

(   )

10
의사
소통

그림을 보고 **알맞게 말한 사람**은 누구일까요?

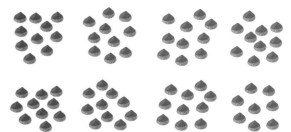

> 민경: 밤을 10개씩 묶어 보면 10개씩 묶음 7개와 낱개 8개이므로 모두 87개입니다.
> 수호: 밤이 일흔여덟 개 있습니다.
> 주석: 밤이 여든일곱 개 있습니다.

(   )

1
100까지의 수

개념 ① 수의 순서 알아보기

56보다 1만큼 더 작은 수

60보다 1만큼 더 작은 수

56보다 1만큼 더 큰 수

60보다 1만큼 더 큰 수

수를 순서대로 쓸 때 **1만큼 더 큰 수는 바로 뒤의 수**이고
☐**만큼 더 작은 수는 바로 앞의 수**입니다.

개념 ② 100 알아보기

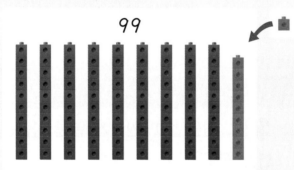

99

99보다 1만큼 더 큰 수

⇨ 100 백

확인 ① 다음 수를 읽어 보세요.

100

(   )

확인 ② 빠져 있는 책의 번호를 알아보려고 합니다. 빈 곳에 알맞은 수를 써넣으세요.

| 61 | 62 | | 64 | 65 | | 67 | 68 | | 70 |

1 빈 곳에 알맞은 수를 써넣으세요.

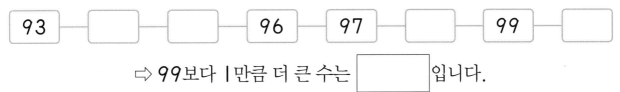

⇨ 99보다 1만큼 더 큰 수는 [ ] 입니다.

2 빈 곳에 알맞은 수를 써넣으세요.

(1)
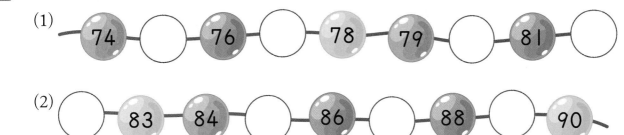

(2)

3 관계있는 것끼리 이으세요.

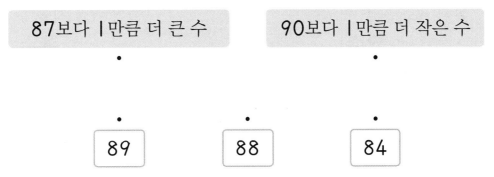

87보다 1만큼 더 큰 수   90보다 1만큼 더 작은 수

89   88   84

4 빈 곳에 알맞은 수를 써넣으세요.

(1) 1만큼 더 작은 수   1만큼 더 큰 수   (2) 1만큼 더 작은 수   1만큼 더 큰 수

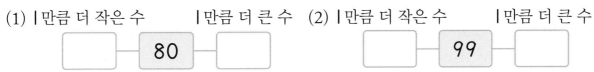

교과서 **개념**

1 단계

수의 크기 비교하기, 짝수와 홀수

개념 ① 수의 크기 비교하기

① 10개씩 묶음의 수를 먼저 비교 합니다. → 10개씩 묶음의 수가 클수록 큰 수입니다. ⇨ ② 10개씩 묶음의 수가 같을 때에는 낱개의 수를 비교합니다.

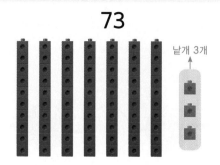

73

낱개 3개

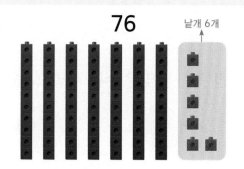

76

낱개 6개

• 73은 76보다 작습니다. ⇨ **73 < 76**
• 76은 73보다 [   ] ⇨ **76 > 73**

개념 ② 짝수와 홀수

4

둘씩 짝을 지을 수 있는 수

⇨ **짝수**

5

둘씩 짝을 지을 수 없는 수

⇨ **홀수**

'니그' **딤정**

---

 1 그림을 보고 55와 62의 크기를 비교하세요.

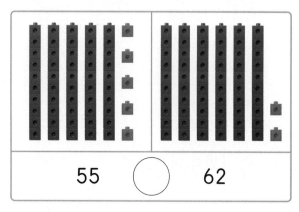

55   62

(1) 55는 62보다 (큽니다 , 작습니다).

⇨ 55 ◯ 62

(2) 62는 55보다 (큽니다 , 작습니다).

⇨ 62 ◯ 55

1 둘씩 짝을 지어 보고 짝을 지을 수 있으면 ○표, 짝을 지을 수 <u>없으면</u> ×표 하세요.

(1)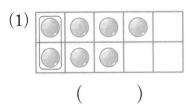

(   )

(2)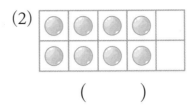

(   )

2 □ 안에 토끼의 수를 써넣고 짝수인지 홀수인지 ○표 하세요.

(짝수 , 홀수)

3 수를 세어 쓰고 더 큰 수에 ○표 하세요.

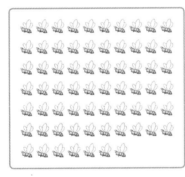

4 두 수의 크기를 비교하여 ○ 안에 >, <를 알맞게 써넣으세요.

(1) 84 ◯ 67

(2) 56 ◯ 58

2단계 교과서+익힘책 유형 연습

1 개수를 세어 보고 짝수인지 홀수인지 쓰세요.

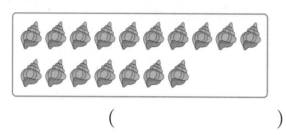

( )

2 짝수를 따라가 이으세요.

3 빈 곳에 알맞은 수를 써넣으세요.

(1) | 90 | 89 | | 87 | |

(2) | 96 | | 98 | | |

4 두 수의 **크기를 비교**하여 ○ 안에 >, <를 알맞게 써넣으세요.

(1) 63 ○ 76

(2) 87 ○ 84

5 **68보다 큰 수**를 모두 찾아 쓰세요.

| 73 60 59 87 |

( )

답이 될 수 있는 수를
모두 찾아 쓰세요.

중요
6 홀수를 모두 찾아 쓰세요.

| 25 34 13 48 39 |

( )

7 **100이 아닌 수**를 찾아 기호를 쓰세요.

㉠ 90보다 10만큼 더 작은 수
㉡ 10개씩 묶음이 10개인 수
㉢ 99보다 1만큼 더 큰 수

( )

8 가장 큰 수에 ○표 하세요.

| 58 | 80 | 69 |

9 □ 안에 **들어갈 수 있는 수**에 모두 ○표 하세요.

52 > 5□

(0 , 1 , 2 , 3 , 4)

10 리모컨에서 '∧'를 누르면 채널 번호가 1 올라가고 '∨'를 누르면 채널 번호가 1 내려갑니다. 62번 채널에서 '∨'를 3번 누르면 몇 번 채널이 나올까요?

(   )

수학익힘 **역량** 키우기 문제

11 알맞은 자리를 찾아 이으세요.

추론

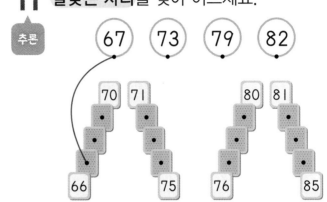

1
100까지의 수

12 □ 안에 **알맞은 수**를 써넣으세요.

정보처리

| 56 | 65 | 87 | 54 |

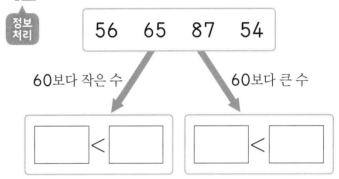

60보다 작은 수   60보다 큰 수

□ < □   □ < □

13 농장에서 자두를 혜연이는 85개, 민규는 92개 땄습니다. 성진이는 혜연이보다 1개 더 많이 땄습니다. 자두를 많이 딴 순서대로 이름을 쓰세요.

추론

혜연   민규   성진

(   )

세 사람의 이름을 모두 쓰세요.

3단계 서술형 문제 해결

1 엽서를❶현정이는 64장 가지고 있고, 민수는 현정이보다 10장 더 많이 가지고 있습니다. ❷민수가 가지고 있는 엽서는 모두 몇 장인지 알아보세요.

난 엽서 64장을 가지고 있어.

난 64장보다 10장 더 많이 가지고 있어.

현정   민수

풀이

❶ 10만큼 더 큰 수는 10개씩 묶음의 수가 [ ]만큼 더 큰 수입니다.

따라서 64보다 10만큼 더 큰 수는 [ ]입니다.

❷ 따라서 민수가 가지고 있는 엽서는 모두 [ ]장입니다.

답 [ ]장

2 ❶10보다 크고 20보다 작은 수 중에서 ❷짝수는 ❸모두 몇 개인지 알아보세요.

풀이

❶ 10보다 크고 20보다 작은 수를 모두 쓰세요.

11								

❷ 위의 10보다 크고 20보다 작은 수 중에서 짝수에 모두 ○표 하세요.

❸ 따라서 10보다 크고 20보다 작은 수 중에서 짝수는 모두 [ ]개입니다.

답 [ ]개

3 ➊빨간색 풍선이 10개씩 묶음 5개와 낱개 25개 있고, ➋파란색 풍선이 10개씩 묶음 6개와 낱개 9개 있습니다. ➌어떤 색 풍선이 더 많은지 알아보세요.

저요! 먼저 빨간색 풍선의 낱개가 10개씩 묶음으로 몇 개인지 알아야 해요.

빨간색 풍선과 파란색 풍선 중 어떤 색 풍선이 더 많은지 아는 사람?

풀이

➊ 낱개 25개는 10개씩 묶음 ☐개와 낱개 5개입니다.

빨간색 풍선: 10개씩 묶음 ☐개와 낱개 5개로 ☐개

➋ 파란색 풍선: 10개씩 묶음 ☐개와 낱개 9개로 ☐개

➌ 75 ◯ 69이므로 더 많은 풍선은 ☐ 풍선입니다.

답 ☐ 풍선

쌍둥이 문제

4 칭찬 붙임딱지를 ➊태현이는 10장씩 묶음 8개와 낱개 8장 모았고, ➋인수는 10장씩 묶음 7개와 낱개 16장 모았습니다. ➌칭찬 붙임딱지를 더 적게 모은 사람은 누구인지 풀이 과정을 쓰고 답을 구하세요.

풀이

➊ _____

➋ _____

➌ _____

_____

답 _____

1 양말의 수를 세어 짝수에 ○표, 홀수에 △표 하세요.

2 메추리알은 모두 몇 개일까요?

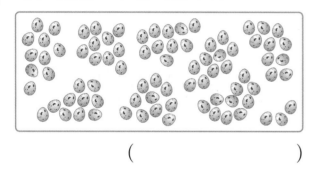

( )

3 다음 중에서 잘못 읽은 것은 어느 것일까요? ( )

① 100 - 백
② 58 - 오십팔 - 쉰여덟
③ 87 - 팔십일곱 - 일흔칠
④ 84 - 팔십사 - 여든넷
⑤ 95 - 구십오 - 아흔다섯

4 순서에 맞게 빈 곳에 알맞은 수를 써넣으세요.

5 수를 순서대로 이어 그림을 완성하세요.

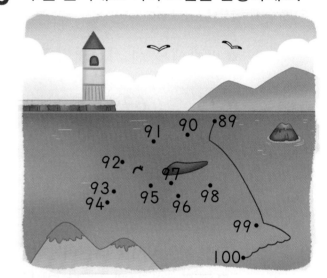

6 두 수의 크기를 비교하여 ○ 안에 >, <를 알맞게 써넣으세요.

76 ◯ 99

7 □ 안에 알맞은 수를 써넣으세요.

(1) 79와 82 사이에 있는 수는

[   ] , [   ] 입니다.

(2) 66보다 1만큼 더 큰 수는 [   ]

입니다.

(3) 94보다 1만큼 더 작은 수는

[   ] 입니다.

8 몇십몇이 적힌 수 카드의 낱개의 수에 물감이 떨어져 보이지 않습니다. 더 큰 수가 적힌 수 카드를 알아보세요.

ㄱ    ㄴ

(1) 10개씩 묶음의 수가 같나요?

(예 , 아니요)

(2) 10개씩 묶음의 수가 더 큰 것은 어느 것인지 기호를 쓰세요.

(   )

(3) 더 큰 수가 적힌 수 카드는 어느 것인지 기호를 쓰세요.

(   )

9 큰 수부터 차례로 쓰세요.

| 59 | 92 | 67 | 85 |

(   )

서술형 문제
10 다음은 줄넘기 횟수를 나타낸 기록입니다. 가장 많이 넘은 학생에게 상을 주려고 합니다. 상을 받는 학생은 누구인지 풀이 과정을 쓰고 답을 구하세요.

민규	유진	서준	지혜
51	87	74	93

풀이 _____

_____

_____

_____

답 _____

1 수를 세어 쓰고 읽으세요.

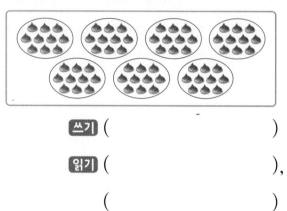

　　　　쓰기 (　　　　　　　　　　)

　　　　읽기 (　　　　　　　　　　),

　　　　　　 (　　　　　　　　　　)

2 □ 안에 알맞은 수를 써넣고 두 가지 방법으로 읽으세요.

10개씩 묶음	낱개
6	8

⇨ [　　]

　　　　읽기 (　　　　　　　　　　),

　　　　　　 (　　　　　　　　　　)

3 빈 곳에 알맞은 수를 써넣으세요.

[　] — [70] — [71] — [　]

4 수를 세어 보고 관계있는 것에 모두 ○표 하세요.

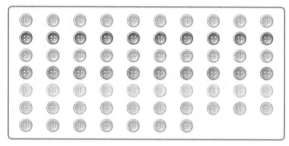

(육십아홉 , 여든칠 , 67 , 예순일곱)

5 □ 안에 알맞은 수를 써넣고 ○ 안에 >, <를 알맞게 써넣으세요.

[　　] ○ [　　]

82보다 1만큼　　　79보다 1만큼
더 작은 수　　　　더 큰 수

6 다음 중에서 짝수가 <u>아닌</u> 것은 어느 것일까요? (　　　)

① 20　　② 22　　③ 30

④ 33　　⑤ 50

7 동물원에 견학 온 친구들이 사물함을 찾으려고 합니다. 87번 열쇠를 가진 채영이는 ①~④ 중 어느 곳에서 사물함을 찾아야 할까요?

(   )

8 0부터 9까지의 수 중에서 □ 안에 들어갈 수 있는 수를 모두 구하세요.

$$\boxed{\square 7 > 76}$$

(   )

9 포도가 83송이 있습니다. 포도를 한 상자에 10송이씩 6상자에 담으면 상자에 담지 <u>않은</u> 포도는 몇 송이일까요?

(   )

서술형 문제

10 3장의 수 카드 중에서 2장을 뽑아 몇십몇을 만들려고 합니다. 만들 수 있는 가장 작은 수는 얼마인지 풀이 과정을 쓰고 답을 구하세요.

$$\boxed{7} \quad \boxed{9} \quad \boxed{6}$$

풀이 _____

_____

_____

답 _____

단원평가 **20문항** 제공

1. 100까지의 수 • **27**

1 32부터 40까지의 수가 쓰여 있는 나뭇잎을 짝수는 ◯ 부분에, 홀수는 ● 부분에 붙이세요. 붙임딱지 사용

2 민경, 태호, 은정이는 과녁 맞히기 놀이를 하였습니다. 다음은 세 사람이 각각 화살을 15개씩 던져 맞힌 것입니다. 노란색을 맞히면 1점, 분홍색을 맞히면 10점일 때, 물음에 답하세요.

(1) 민경, 태호, 은정이가 얻은 점수는 각각 몇 점일까요?

민경 (   )

태호 (   )

은정 (   )

(2) 민경, 태호, 은정이 중 점수가 가장 높은 사람은 누구일까요?

(   )

3 단독주택이 있는 마을입니다. 길의 위쪽은 도로명 주소가 홀수이고, 아래쪽은 짝수일 때 왼쪽에서부터 순서대로 알맞은 주소를 붙이세요. 붙임딱지 사용

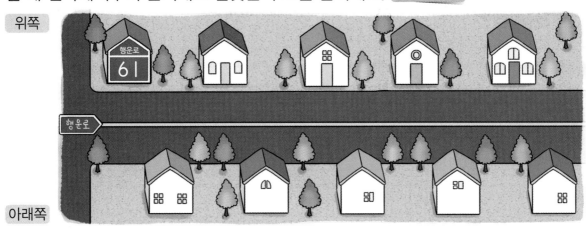

위쪽

아래쪽

1
100까지의 수

4 민수네 가족 3명이 함께 영화관에 갔습니다. 영화관 입구에 있는 자리 안내판에 민수, 엄마, 동생 붙임딱지를 알맞게 붙이세요. 붙임딱지 사용

 민수 — 내 동생( )의 자리 번호는 10개씩 묶음의 수가 4인 홀수예요.

우리 가족은 나란히 앉아 있고 가장 작은 번호는 46이에요. — 민수 엄마

화면									
출입구									출입구
1	2	3	4	5	6	7	8	9	10
11	12	13	14	15	16	17	18	19	20
21	22	23	24	25	26	27	28	29	30
31	32	33	34	35	36	37	38	39	40
41	42	43	44	45	46	47	48	49	50
51	52	53	54	55	56	57	58	59	60

학습 게임

2 덧셈과 뺄셈 (1)

1학년

- 받아올림이 없는 두 자리 수의 덧셈
- 받아내림이 없는 두 자리 수의 뺄셈

2학년

- 받아올림, 받아내림이 있는 두 자리 수의 덧셈과 뺄셈
- □가 사용된 덧셈식, 뺄셈식 만들기

3~6학년

- 세 자리 수의 덧셈과 뺄셈
- 분수와 소수의 덧셈과 뺄셈

난 낱개만 계산

난 10개씩 묶음만 계산

따로따로 계산해.

$$
\begin{array}{r}
4\ 5 \\
+\ 2\ 3 \\
\hline
6\ 8
\end{array}
$$

이전에 배운 내용 확인하기

>> 정답 8쪽

1 수 모으기를 하세요.

(1)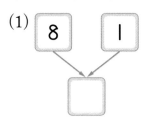

(2)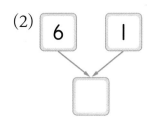

2 수 가르기를 하세요.

(1)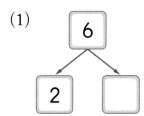

(2)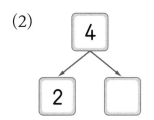

3 그림을 보고 계산을 하세요.

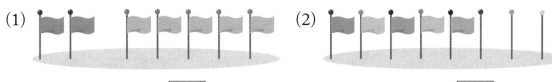

(1)

$2+5=\boxed{}$

(2)

$8-3=\boxed{}$

4 뺄셈식으로 나타내세요.

7과 2의 차는 5입니다.

2
덧셈과 뺄셈 (1)

두 얼굴의 외계 친구

개념 ① 받아올림이 없는 (몇십몇)+(몇)

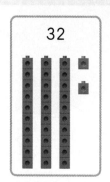

32

5

$$32+5=37$$

		3	2
+			5

낱개끼리 **줄을 맞추어** 씁니다.

⇩

		3	2
+			5
		□	7

낱개끼리 더합니다.

개념 ② 받아올림이 없는 (몇십)+(몇십)

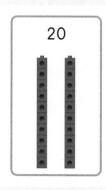

20

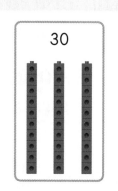

30

$$20+30=50$$

		2	0
+		3	0

줄을 맞추어 씁니다.

⇩

		2	0
+		3	0
		5	□

10개씩 묶음끼리 더합니다.

정답 3, 0

확인 ① 모형을 보고 덧셈을 하세요.

(1)

$$23+6=\boxed{}$$

(2)

$$40+30=\boxed{}$$

1 사이다가 모두 몇 캔인지 세어서 알아보세요.

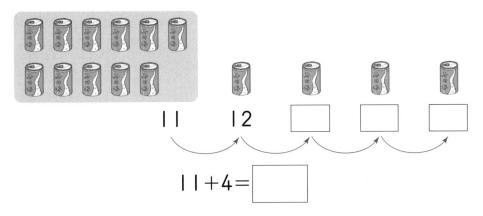

11   12   ☐   ☐   ☐

11+4=☐

2 덧셈을 하세요.

(1) 50+6= ☐

(2) 62+4= ☐

(3)
```
    6 1
+     3
─────────
```

(4)
```
    6 0
+   3 0
─────────
```

3 두 수의 합을 구하세요.

(1)  40 20   (   )

(2) 3 62   (   )

4 계산 결과를 찾아 이으세요.

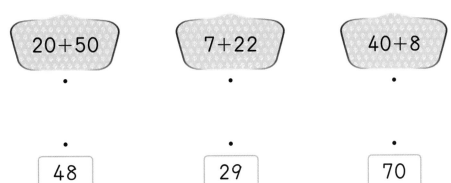

20+50   7+22   40+8

·   ·   ·

·   ·   ·

48   29   70

1 그림을 보고 □ 안에 **알맞은 수를** 써넣으세요.

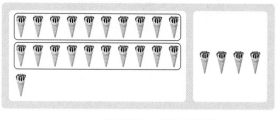

$$21 + \boxed{} = \boxed{}$$

2 **덧셈을** 하세요.

(1)
$$\begin{array}{r} 4\ 5 \\ +\quad 3 \\ \hline \end{array}$$

(2) $20 + 40$

3 □ 안에 **알맞은 수를** 써넣으세요.

```
        50            30
  ┌──────────┬──────────┐
                □
```

4 **두 수의 합을** 구하세요.

(1)

10	60

(   )

(2)

9	70

(   )

5 계산 결과를 찾아 이으세요.

24+4	•		•	39
30+9	•		•	90
70+20	•		•	28

6 빈칸에 **알맞은 수를** 써넣으세요.

+	2	3
30	32	
45		

↑ 45+2의 계산 결과를 써넣으세요.   ↑ 45+3의 계산 결과를 써넣으세요.

7 덧셈을 하세요.

$$31+1=\boxed{}$$
$$31+2=\boxed{}$$
$$31+3=\boxed{}$$
$$31+4=\boxed{}$$

8 합이 더 **작은 것**에 △표 하세요.

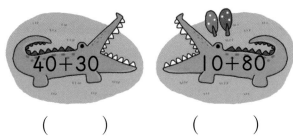

(   )   (   )

9 달걀 한 판에는 달걀이 **30개** 들어 있습니다. **달걀 2판에 들어 있는 달걀**은 모두 몇 개일까요?

(   )

단위(개)도 쓰세요.

수학익힘 **역량** 키우기 문제

10 **합이 큰 순서**대로 글자를 쓰세요.

추론

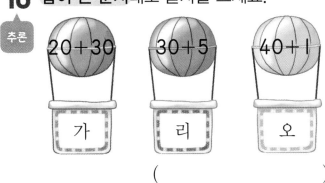

20+30   30+5   40+1
가   리   오

(   )

11 다음 수 카드 중에서 2장을 골라 **합이 40**이 되도록 **덧셈식**을 만드세요.

추론

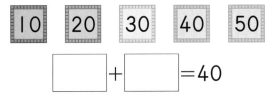

| 10 | 20 | 30 | 40 | 50 |

$$\boxed{}+\boxed{}=40$$

12 수호의 일기를 읽고 **박물관에 있는 사람**은 모두 몇 명인지 구하세요.

의사소통

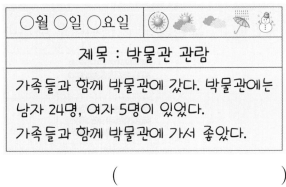

○월 ○일 ○요일

제목 : 박물관 관람

가족들과 함께 박물관에 갔다. 박물관에는 남자 24명, 여자 5명이 있었다.
가족들과 함께 박물관에 가서 좋았다.

(   )

2
덧셈과 뺄셈 (1)

교과서 **개념**

동영상 강의

덧셈하기 ⑶,
그림을 보고 덧셈하기

개념 ① 받아올림이 없는 (몇십몇)+(몇십몇)

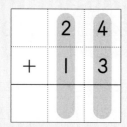

줄을 맞추어 씁니다. ⇨ **낱개끼리** 더합니다. ⇨ **10개씩 묶음끼리** 더합니다.

개념 ② 그림을 보고 덧셈하기

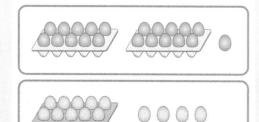

$21+14=35$

여러 가지 방법으로 더하기 1

20과 10을 더하고, 1과 4를 더하기

$20+10=30$ $1+4=5$

$30+5=35$

여러 가지 방법으로 더하기 2

21에 4를 더한 수에 10을 더하기

$21+4=25$ ➡ $25+10=35$

여러 가지 방법으로 더하기 3

21에 10을 더한 수에 4를 더하기

$21+10=31$ ➡ $31+\boxed{}=35$

확인 ① 모형을 보고 순서대로 더하여 □ 안에 알맞은 수를 써넣으세요.

(1)

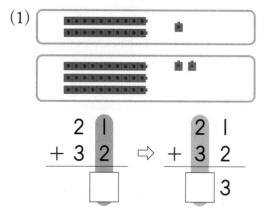

(2)

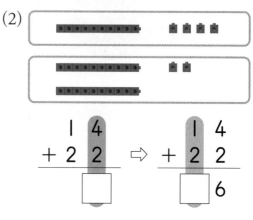

1 그림을 보고 모두 몇 개인지 덧셈식으로 나타내세요.

(1)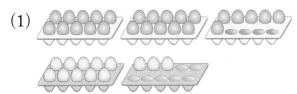

$26 + \boxed{} = \boxed{}$

(2)

$24 + \boxed{} = \boxed{}$

2 덧셈을 하세요.

(1) $34 + 25 = \boxed{}$

(2) $12 + 12 = \boxed{}$

(3)
$$
\begin{array}{r}
2\;2 \\
+\;4\;2 \\
\hline
\boxed{}
\end{array}
$$

(4)
$$
\begin{array}{r}
6\;4 \\
+\;2\;4 \\
\hline
\boxed{}
\end{array}
$$

3 그림을 보고 덧셈을 하려고 합니다. 물음에 답하세요.

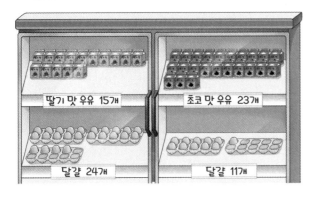

딸기 맛 우유 15개　　초코 맛 우유 23개

달걀 24개　　　달걀 11개

(1) 딸기 맛 우유와 초코 맛 우유는 모두 몇 개입니까?

$15 + \boxed{} = \boxed{}$ (개)

(2) 달걀은 모두 몇 개입니까?

$\boxed{} + 11 = \boxed{}$ (개)

1 그림을 보고 **덧셈**을 하세요.

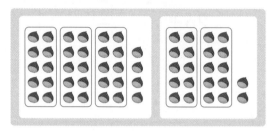

$$34 + 22 = \boxed{}$$

중요
2 **덧셈**을 하세요.

(1)
$$
\begin{array}{r}
7\,5 \\
+\,1\,2 \\
\hline
\end{array}
$$

(2) $32 + 25$

3 빈 곳에 **알맞은 수**를 써넣으세요.

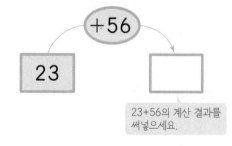

23 +56의 계산 결과를 써넣으세요.

4 **그림을 보고 덧셈**을 하려고 합니다. 물음에 답하세요.

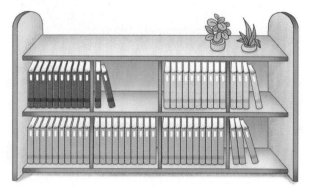

(1) 빨간색 책과 노란색 책은 모두 몇 권일까요?

$$12 + \boxed{} = \boxed{} \text{(권)}$$

(2) 노란색 책과 초록색 책은 모두 몇 권일까요?

$$\boxed{} + 33 = \boxed{} \text{(권)}$$

5 빈 곳에 **알맞은 수**를 써넣으세요.

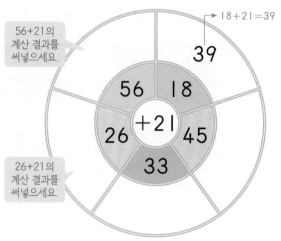

56+21의 계산 결과를 써넣으세요.

18+21=39

26+21의 계산 결과를 써넣으세요.

6 합이 가장 큰 것을 찾아 기호를 쓰세요.

> ㉠ 41+23   ㉡ 50+16
> ㉢ 64+10   ㉣ 43+15

(   )

7 다음은 영진이가 **42+15를 계산한 방법**입니다. □ 안에 알맞은 수를 써넣으세요.

```
    4  2
 +  1  5
 ┌──────┐
 └──────┘
```

• 계산 방법 •

40과 10을 더해서 50을 구하고,

2와 □ 를 더했습니다.

8 호진이 어머니께서는 가게에서 빵 56개와 음료수 32개를 샀습니다. 호진이 어머니께서 산 **빵과 음료수는 모두 몇 개**일까요?

(   )

9 **같은 모양에 적힌 수의 합을 구하세요.**

창의
융합

☐ [   ] , ⬭ [   ] , ◯ [   ]

10 주머니에서 수를 **하나씩 골라 덧셈식을** 만드세요.

추론

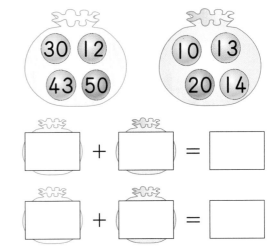

[   ] + [   ] = [   ]

[   ] + [   ] = [   ]

11 텃밭에 무가 **15개**, 당근이 **23개** 있습니다. 텃밭에 있는 **채소가 모두 몇 개**인지 덧셈식을 쓰고 여러 가지 방법으로 구하세요.

창의
융합

[   ] + [   ] = [   ]

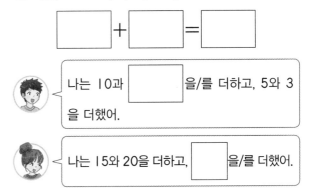

나는 10과 [   ] 을/를 더하고, 5와 3을 더했어.

나는 15와 20을 더하고, [   ] 을/를 더했어.

2
덧셈과 뺄셈 (1)

개념 ① 받아내림이 없는 (몇십몇)−(몇)

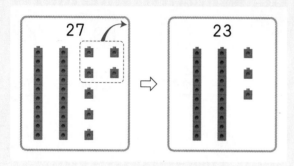

$$27-4=23$$

	2	7
−		4

낱개끼리 **줄**을 **맞추어** 씁니다.

⇩

	2	7
−		4
		3

낱개끼리 뺍니다.

개념 ② 받아내림이 없는 (몇십)−(몇십)

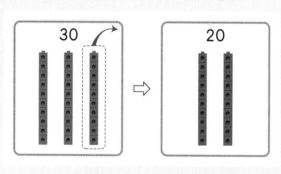

$$30-10=20$$

	3	0
−	1	0

줄을 맞추어 씁니다.

⇩

	3	0
−	1	0
	2	

10개씩 묶음끼리 뺍니다.

정답 2, 0

확인 ① 모형을 보고 뺄셈을 하세요.

(1)

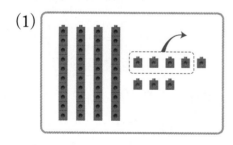

$$48-4=\boxed{}$$

(2)

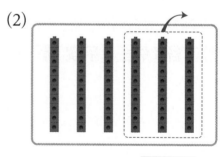

$$60-30=\boxed{}$$

1 그림을 보고 뺄셈을 하세요.

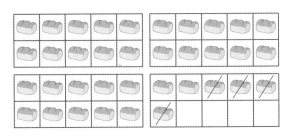

$36-4=$ ◻

2 구슬은 야구공보다 몇 개 더 많은지 알아보세요.

구슬 ←
야구공 ←

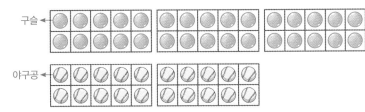

$30-20=$ ◻

3 뺄셈을 하세요.

(1) $18-4=$ ◻

(2) $70-30=$ ◻

(3)
```
    5 7
  −   3
  ─────
```
◻

(4)
```
    8 0
  − 6 0
  ─────
```
◻

4 계산 결과를 찾아 이으세요.

| $27-5$ | $80-30$ | $90-80$ |

·   ·   ·

·   ·   ·

| 10 | | 22 | | 50 |

1 빨간색 단추는 초록색 단추보다 **몇 개 더 많은지** 알아보세요.

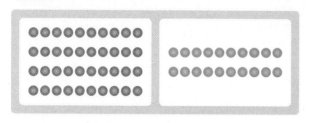

$$40-20=\boxed{}$$

중요
2 **뺄셈**을 하세요.

(1)
$$\begin{array}{r} 8\ 6 \\ -\quad 5 \\ \hline \end{array}$$

(2) $90-40$

3 빈 곳에 **알맞은 수**를 써넣으세요.

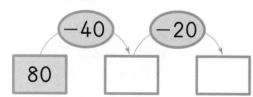

4 **두 수의 차**를 구하세요.

(1)

8	58

(   )

(2)

76	3

(   )

5 **차가 같은 것**끼리 이으세요.

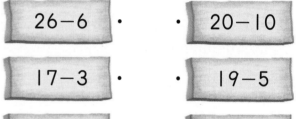

26−6 ·	· 20−10
17−3 ·	· 19−5
50−40 ·	· 70−50

6 **계산을 잘못한** 사람을 찾아 ○표 하세요.

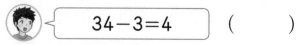

$34-3=4$ (   )

$80-40=40$ (   )

$55-5=50$ (   )

7 □ 안에 **알맞은 수**를 써넣으세요.

$$
\begin{array}{r}
5\ \square \\
-\quad 4 \\
\hline
5\ 3
\end{array}
$$

8 계산 **결과가 가장 큰 것**을 찾아 기호를 쓰세요.

㉠	㉡	㉢
$\begin{array}{r} 3\ 5 \\ -\quad 4 \\ \hline \end{array}$	$\begin{array}{r} 9\ 0 \\ -3\ 0 \\ \hline \end{array}$	$\begin{array}{r} 3\ 8 \\ -\quad 8 \\ \hline \end{array}$

(   )

기호를 써넣으세요.

중요
9 윤서는 팽이 **26개 중에서 5개**를 민영이에게 주었습니다. 윤서에게 **남은 팽이**는 몇 개인지 식을 쓰고 답을 구하세요.

식 _____

답 _____

---

10 **뺄셈**을 하세요.
추론

$$54-3=\boxed{}$$
$$55-4=\boxed{}$$
$$56-5=\boxed{}$$
$$57-6=\boxed{}$$

11 다음 수 카드 중에서 2장을 골라 **차가 40**이 되도록 뺄셈식을 만드세요.
추론

30	40	50	60	70

$$\boxed{}-\boxed{}=40$$

12 수지네 반 학생들은 모두 **29명**입니다. 아침 활동 시간에 교실에서 **책을 읽는 학생**은 **몇 명**인지 구하세요.
추론

〈아침 활동〉
−달리기 선수 3명: 운동장에 모이기
−나머지 학생: 교실에서 책 읽기

(   )

2
덧셈과 뺄셈
(1)

**빨셈하기 (3),
그림을 보고 빨셈하기**

개념 ① 받아내림이 없는 (몇십몇)−(몇십몇)

	5	4
−	1	3

⇨

	5	4
−	1	3
		1

⇨

	5	4
−	1	3
	4	1

줄을 맞추어
씁니다.

낱개끼리
뺍니다.

10개씩 묶음끼리
뺍니다.

개념 ② 그림을 보고 빨셈하기

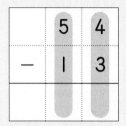

24−13=11

여러 가지 방법으로 빼기 1

20에서 10을 빼고, 4에서 3을 빼기

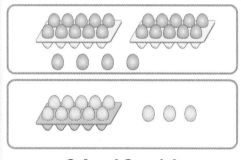

20−10=10   4−3=1

10+1=11

여러 가지 방법으로 빼기 2

24에서 3을 뺀 수에서 10을 빼기

24−3=21 ➡ 21−10=11

여러 가지 방법으로 빼기 3

24에서 10을 뺀 수에서 3을 빼기

24−10=14 ➡ 14−□=11

정답 3

확인 ① 모형을 보고 계산하세요.

(1)
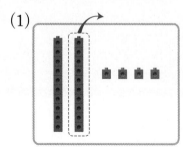

	2	4
−	1	0

(2)
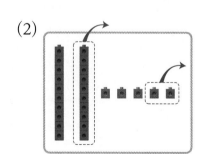

	2	5
−	1	2

1 그림을 보고 뺄셈을 하세요.

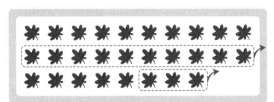

$$28-13=\boxed{}$$

2 그림을 보고 배가 사과보다 몇 개 더 많은지 뺄셈식으로 나타내세요.

배 →

사과 →

$$27-\boxed{}=\boxed{}$$

3 뺄셈을 하세요.

(1) $47-24=\boxed{}$

(2) $72-21=\boxed{}$

(3)
$$\begin{array}{r} 3\ 8 \\ -\ 1\ 5 \\ \hline \boxed{} \end{array}$$

(4)
$$\begin{array}{r} 8\ 6 \\ -\ 5\ 3 \\ \hline \boxed{} \end{array}$$

4 그림을 보고 뺄셈을 하려고 합니다. 물음에 답하세요.

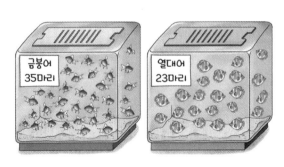

금붕어
35마리

열대어
23마리

(1) 금붕어는 열대어보다 몇 마리 더 많습니까?

$$35-\boxed{}=\boxed{}\ (마리)$$

(2) 열대어 2마리를 건졌다면 남은 열대어
는 몇 마리일까요?

$$\boxed{}-2=\boxed{}\ (마리)$$

2

덧셈과 뺄셈 (1)

1 빨간 구슬이 파란 구슬보다 **몇 개 더 많은 지** 알아보세요.

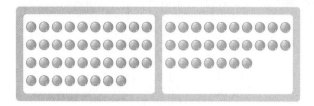

$$38-27=\boxed{}$$

2 뺄셈을 하세요.

(1)
$$\begin{array}{r} 6\,8 \\ -\,5\,2 \\ \hline \end{array}$$

(2) $75-34$

3 빈칸에 **알맞은 수**를 써넣으세요.

$\ominus$ ⟶

→ $79-56=23$

79	56	23
47	30	

$47-30$의 계산 결과를 써넣으세요.

$79-47$, $56-30$의 계산 결과를 각각 써넣으세요.

4 **그림을 보고 뺄셈을** 하려고 합니다. 물음에 답하세요.

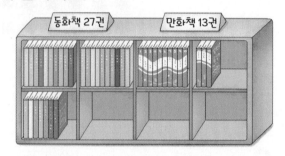

(1) 동화책은 만화책보다 몇 권 더 많을까요?

$$27-\boxed{}=\boxed{}\ (권)$$

(2) 동화책 6권을 빌려갔다면 남는 동화책은 몇 권일까요?

$$\boxed{}-6=\boxed{}\ (권)$$

5 **짝 지은 두 수의 차**를 구하여 빈칸에 알맞은 수를 써넣으세요.

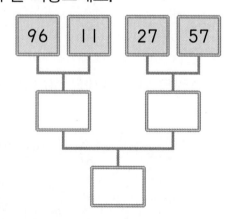

중요
6 가장 큰 수와 가장 작은 수의 **차**를 구하세요.

| 25 | 32 | 98 | 57 | 89 |

(   )

7 74−32를 여러 가지 방법으로 계산하였습니다. **잘못 계산한 사람은 누구**인지 쓰세요.

- 수경: 74에서 20을 뺀 다음 3을 뺐어.
- 지영: 74에서 30을 뺀 다음 2를 뺐어.

(   )

8 표를 보고 물음에 답하세요.

학생 수	지연이네 반	민수네 반
반 학생 수(명)	28	25
남학생 수(명)	17	
여학생 수(명)		12

(1) **빈칸**에 알맞은 수를 써넣으세요.

(2) 지연이네 반과 민수네 반 중 **여학생이 더 많은 반**은 어느 반일까요?

(   )

9 주머니에서 수를 **하나씩 골라 뺄셈식**을 만드세요.

추론

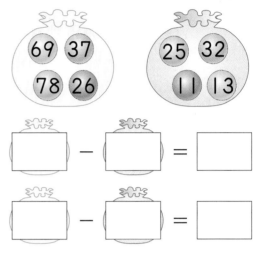

[ ] − [ ] = [ ]

[ ] − [ ] = [ ]

10 유민이네 반에서 우유를 마시는 학생은 25명입니다. 우유 통에 우유가 11개 남아 있습니다. **가져간 우유는 몇 개**일까요?

문제
해결

(   )

11 **감이 48개, 귤이 21개** 있습니다. 어느 과일이 얼마나 더 많은지 뺄셈식을 쓰고 **여러 가지 방법**으로 구하세요.

의사
소통

[ ] − [ ] = [ ]

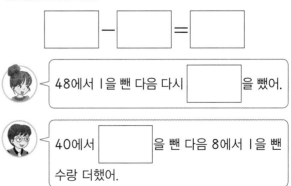

48에서 1을 뺀 다음 다시 [ ]을 뺐어.

40에서 [ ]을 뺀 다음 8에서 1을 뺀 수랑 더했어.

2
덧셈과 뺄셈
(1)

3 단계 서술형 문제 해결

동영상 강의

1 감나무에 열린 감 38개 중에서 ❶현미와 재우가 감을 한 개씩 따 먹었습니다. 다음 날 감나무를 찾아갔더니 ❷새가 15개를 먹었습니다. 감나무에 남은 감은 몇 개인지 알아보세요.

> **풀이**
>
> ❶ 현미와 재우가 감을 한 개씩 따 먹었으므로 먹은 감은 모두 2개이고, 먹고 남은 감은 ⬜ −2= ⬜ (개)입니다.
>
> ❷ 따라서 새가 먹고 남은 감은 ⬜ −15= ⬜ (개)입니다.
>
> **답** ⬜ 개

2 민우는 블록 만들기를 하였습니다. ❶파란색 블록은 36개 사용했고, 노란색 블록은 파란색 블록보다 24개 더 적게 사용했습니다. ❷민우가 사용한 파란색과 노란색 블록은 모두 몇 개인지 알아보세요.

> **풀이**
>
> ❶ 노란색 블록은 36− ⬜ = ⬜ (개) 사용했습니다.
>
> ❷ 사용한 파란색과 노란색 블록은 모두 36+ ⬜ = ⬜ (개)입니다.
>
> **답** ⬜ 개

3 운동장에서 ^❶남학생 11명과 여학생 7명이 기차놀이를 하고 있고, ^❷남학생 3명과 여학생 12명이 공놀이를 하고 있습니다. ^❸어느 놀이를 하는 학생이 더 많은지 알아 보세요.

풀이

❶ 기차놀이를 하고 있는 학생은 11+7=[   ](명)입니다.

❷ 공놀이를 하고 있는 학생은 3+[   ]=[   ](명)입니다.

❸ 따라서 [   ] 놀이를 하고 있는 학생이 더 많습니다.

답 [   ] 놀이

4 울타리 안에 있던 ^❶양 18마리 중 5마리가 울타리 밖으로 나가고, ^❷젖소 24마리 중 14마리가 울타리 밖으로 나갔습니다. 양과 젖소 중 ^❸어느 동물이 울타리 안에 더 많이 남아 있는지 풀이 과정을 쓰고 답을 구하세요.

풀이

❶ _____

❷ _____

❸ _____

답 _____

점수

1 그림을 보고 덧셈을 하세요.

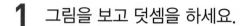

$$30+4=\boxed{}$$

2 계산을 하세요.
(1)
$$\begin{array}{r} 7\ 2 \\ -\ 4\ 0 \\ \hline \boxed{} \end{array}$$

(2) $61+5=\boxed{}$

3 빈 곳에 알맞은 수를 써넣으세요.

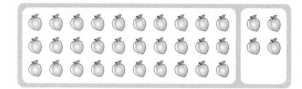

4 두 수의 합과 차를 각각 구하세요.

33	64

합 (   )

차 (   )

5 두 수의 합이 가장 큰 것에 ○표 하세요.

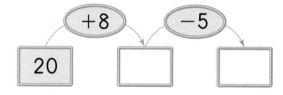

37+52   66+20

(   )   (   )

45+52

(   )

6 어느 과일 가게에 사과 79개와 귤 24개가 있습니다. 사과는 귤보다 몇 개 더 많을까요?

(   )

7 그림을 보고 덧셈식과 뺄셈식을 만드세요.

```
☐ + ☐ = ☐
☐ - ☐ = ☐
```

8 여러 가지 방법으로 13+61을 계산하였습니다. 잘못 계산한 사람은 누구인지 이름을 쓰세요.

나는 10과 61을 더하고, 3을 더했어.

나는 13과 60을 더하고, 10을 더했어.

민정   태우

(   )

9 가장 큰 수와 가장 작은 수를 골라 두 수의 합과 차를 각각 구하세요.

| 49 | 34 | 52 | 65 |

합 (   )

차 (   )

서술형 문제

10 동석이네 집에는 동화책이 46권 있고, 위인전은 동화책보다 23권 더 적게 있습니다. 동석이네 집에 있는 동화책과 위인전은 모두 몇 권인지 풀이 과정을 쓰고 답을 구하세요.

풀이 _____

_____

_____

답 _____

2

덧셈과 뺄셈 (1)

1 그림을 보고 뺄셈을 하세요.

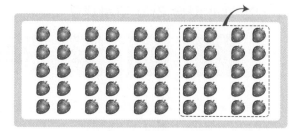

$$50-20=\boxed{}$$

2 계산을 하세요.

(1)
$$\begin{array}{r} 4\ 0 \\ +\ 3\ 0 \\ \hline \boxed{} \end{array}$$

(2) $87-34=\boxed{}$

3 ☐ 안에 알맞은 수를 써넣으세요.

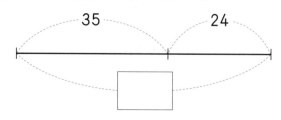

4 계산 결과가 같은 것끼리 이으세요.

36+42	•		•	68-10
8+50	•		•	99-21
10+40	•		•	53-3

5 계산 결과를 비교하여 ○ 안에 >, =, < 를 알맞게 써넣으세요.

$$\boxed{86-34}\ \bigcirc\ \boxed{13+41}$$

6 23+74를 여러 가지 방법으로 계산하였습니다. <u>잘못</u> 계산한 사람은 누구인지 쓰세요.

 나는 20과 70을 더하고 3과 4를 더했어.
주호

 나는 23과 70을 더하고 4를 더했어.
예진

 나는 20과 4를 더하고 30과 7을 더했어.
하준

(   )

7 지호는 칭찬 쿠폰 60장을 모았습니다. 그 중 10장을 지우개와 교환하였습니다. 지호에게 남은 칭찬 쿠폰은 몇 장인지 식을 쓰고 답을 구하세요.

식 _____

답 _____

8 그림을 보고 물고기의 수를 이용하여 여러 가지 뺄셈식을 만드세요.

열대어	비단잉어	흰동가리
25마리	4마리	14마리

☐ − ☐ = ☐

☐ − ☐ = ☐

9 식을 보고 그림이 나타내는 수를 구하세요.

11 + 23 = 🌼

🌼 − 21 = ◉

◉ + ◉ = ✿

🌼 ☐ , ◉ ☐ , ✿ ☐

10 어느 과일 가게에 사과는 47개 있고, 바나나는 사과보다 15개 더 적게 있습니다. 과일 가게에 있는 사과와 바나나는 모두 몇 개인지 풀이 과정을 쓰고 답을 구하세요.

풀이 _____

_____

_____

답 _____

2
덧셈과 뺄셈 (1)

문제 생성기

창의융합 + 실력UP

동영상 학습

1 알맞은 수를 찾아 붙여 손가락 장갑을 완성하세요. 붙임딱지 사용

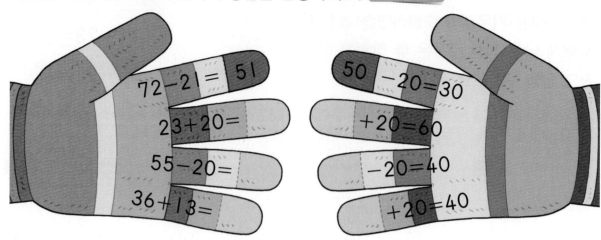

$72-21=51$

$23+20=$

$55-20=$

$36+13=$

$50-20=30$

$+20=60$

$-20=40$

$+20=40$

회색 부분에 붙임딱지를 붙이세요.

2 합과 차를 구하여 **보기**의 색으로 칠하세요.

보기
23
24
25

$\begin{array}{r} 20 \\ +\ 3 \\ \hline 23 \end{array}$	$\begin{array}{r} 22 \\ +\ 2 \\ \hline \end{array}$	$\begin{array}{r} 24 \\ +\ 1 \\ \hline \end{array}$
$\begin{array}{r} 21 \\ +\ 2 \\ \hline \end{array}$	$\begin{array}{r} 23 \\ +\ 1 \\ \hline \end{array}$	$\begin{array}{r} 57 \\ -34 \\ \hline \end{array}$
$\begin{array}{r} 22 \\ +\ 1 \\ \hline \end{array}$	$\begin{array}{r} 58 \\ -34 \\ \hline \end{array}$	$\begin{array}{r} 58 \\ -35 \\ \hline \end{array}$
$\begin{array}{r} 59 \\ -34 \\ \hline 25 \end{array}$	$\begin{array}{r} 59 \\ -35 \\ \hline \end{array}$	$\begin{array}{r} 59 \\ -36 \\ \hline \end{array}$

3 주사위를 굴려 나온 눈의 수를 넣었을 때 바른 식이 되도록 ▨ 안에 알맞은 주사위 붙임딱지를 붙이세요. [붙임딱지 사용]

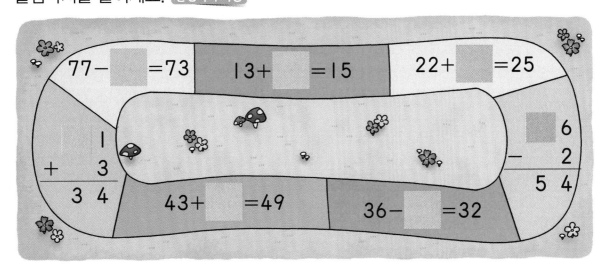

4 콩 주머니 모으기 경기를 하였습니다. 청군은 파란색 콩 주머니 21개, 흰색 콩 주머니 35개를 모았고, 백군은 파란색 콩 주머니 32개, 흰색 콩 주머니 42개를 모았습니다. 물음에 답하세요. [붙임딱지 사용]

(1) 청군과 백군이 모은 콩 주머니는 각각 몇 개일까요?

청군 (   ), 백군 (   )

(2) 승리한 팀의 바구니에 트로피 붙임딱지를 붙여 주세요.

학습 게임

2

덧셈과 뺄셈 (1)

3 여러 가지 모양

1학년

- ■, ▲, ● 모양 찾아보기
- ■, ▲, ● 모양 알아보기
- ■, ▲, ● 모양을 이용하여
  여러 가지 모양 꾸미기

2학년

- 원, 삼각형, 사각형,
  오각형, 육각형
- 쌓기나무

3~6학년

- 선분, 반직선, 직선
- 각, 직각
- 다각형, 대각선
- 도형의 합동
- 도형의 대칭

피아노에 △ 모양

스피커는 □ 모양

내 안경은
○ 모양

이번 단원을 공부하기 전에 알고 있는지 확인하세요.

>> 정답 14쪽

1 같은 모양을 찾아 이으세요.

 · ·

 · ·

 · ·

2  모양 중 다음 모양을 만드는 데 필요하지 <u>않은</u> 모양에 ○표 하세요.

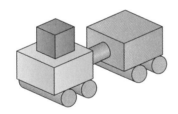

( )

3 다음 모양을 만들려고 합니다.  모양은 각각 몇 개 필요한지 구하세요.

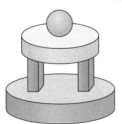

 (   )

 (   )

 (   )

날아간 부품을 찾아라!

QR 코드를 찍고 **퀴즈 영상 속** 문제도 함께 풀어 보아요.

여러 가지 모양 찾아보기

개념 ① ■, ▲, ● 모양 찾기

■ 모양 ⇨

▲ 모양 ⇨

● 모양 ⇨

개념 ② 같은 모양끼리 모으기

■ 모양

뽀족뽀족
▲ 모양

□ 모양

동글동글

요가념

확인 ① 같은 모양을 찾아 이으세요.

1 왼쪽과 같은 모양의 물건에 ◯표 하세요.

(1)

(2)

2 다음은 ■ 모양 블록을 모은 것입니다. 잘못 모은 것에 △표 하세요.

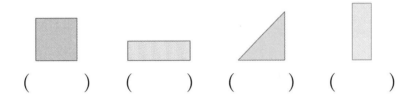

(   )   (   )   (   )   (   )

3 같은 모양끼리 모았습니다. 잘못 모은 것에 △표 하세요.

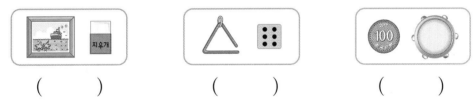

(   )   (   )   (   )

4 방 안에 있는 여러 가지 물건 중에서 ⬤ 모양을 찾아 △표 하세요.

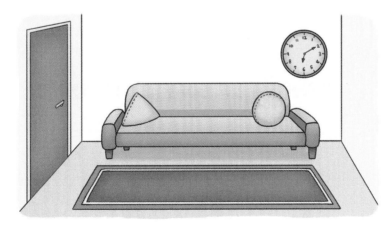

3

여 러 가 지 모 양

개념 ①  모양 알아보기

• 도장 찍기	• 물건 본뜨기	• 고무찰흙 찍기

■ 모양	▲ 모양	● 모양
⇩	⇩	⇩
• 뾰족한 곳이 **4**군데	• 뾰족한 곳이 **3**군데	• 뾰족한 곳이 **없음**.
• 반듯한 선이 **4**군데	• 반듯한 선이 [ ]군데	• 둥근 부분만 **있음**.

정답 **3**

확인 **1** 다음과 같이 물건을 본떴을 때 나오는 모양을 찾아 ○표 하세요.

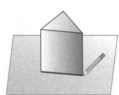

(■ , ▲ , ●)

확인 **2** ■ , ▲ , ● 모양을 본뜬 것의 일부분입니다. 모양을 완성하세요.

1 그림과 같이 물건을 종이 위에 대고 본을 떴을 때 나오는 모양을 찾아 이으세요.

•   •   •

•   •   •

2 다음 물건의 아랫부분에 물감을 묻혀 찍었을 때 나오는 모양을 찾아 ○표 하세요.

(1)   (2)

3 서로 다른 ▢ 모양을 2개 그리세요.

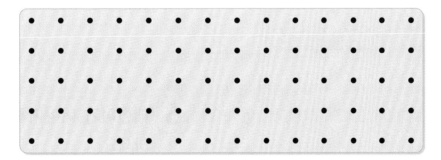

4 △ 모양의 특징으로 알맞은 것을 찾아 기호를 쓰세요.

> ㉠ 뾰족한 곳이 없습니다.
> ㉡ 뾰족한 곳이 4군데입니다.
> ㉢ 뾰족한 곳이 3군데입니다.

(   )

3

여 러 가 지 모 양

1 모양이 **같은 것**끼리 이으세요.

 · ·

 · ·

 · ·

2 모양과 모양을 각각 1개씩 그리세요.

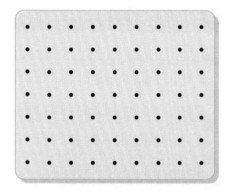

3 ⬤ 모양과 같은 모양의 카드를 모은 것입니다. **잘못 모은 것**에 ◯표 하세요.

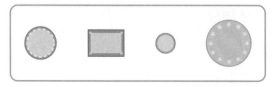

4 ⬛, 🔺, ⬤ 모양의 일부분을 나타낸 그림입니다. **알맞게** 이으세요.

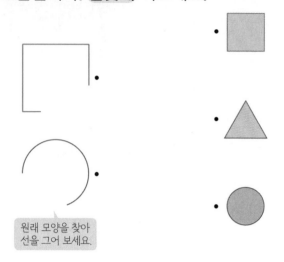

원래 모양을 찾아 선을 그어 보세요.

5 ⬤ 모양에 대한 설명으로 **알맞은 것**에 모두 ◯표 하세요.

반듯한 선이 있습니다.	
뽀족한 곳이 없습니다.	
둥근 부분이 있습니다.	

중요
6 태현이가 이야기하는 **모양**을 찾아 ◯표 하세요.

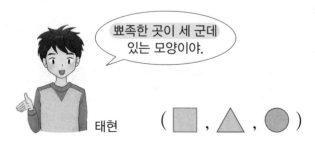

뽀족한 곳이 세 군데 있는 모양이야.

태현   (⬛ , 🔺 , ⬤)

7 오른쪽 모양 조각들의 특징으로 **알맞은 것**을 찾아 기호를 쓰세요.

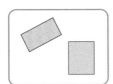

> ㉠ 뾰족한 곳이 **3**군데입니다.
> ㉡ 뾰족한 곳이 **4**군데입니다.
> ㉢ 뾰족한 곳이 없습니다.

(   )

기호를 쓰세요.

8 오른쪽 물건에 물감을 묻혀 찍기를 할 때 **나올 수 없는** 모양을 찾아 △표 하세요.

(   )   (   )   (   )

중요
9 자동차의 **바퀴가** ▨ **모양이라면** 어떻게 될지 쓰세요.

_____

_____

_____

수학익힘 **역량** 키우기 문제

10 그림을 보고 **알맞게 이야기**한 친구의 이름을 쓰세요.

의사소통

> 희준: 잠자리는 ▨ 모양으로만 되어 있네.
> 새롬: 애벌레는 ▨, △, ○ 모양이 모두 있어.
> 강민: 해는 ○와 △ 모양으로 되어 있어.

(   )

11 대화를 보고 성수의 **물음에 답**하세요.

추론

> ▨ 모양과 △ 모양은 뾰족한 곳이 있지만 ● 모양은 뾰족한 곳이 없어.

> 그래. 그러면 ▨ 모양과 △ 모양은 어떤 점이 다를까?

지혜   성수

_____

_____

_____

3
여러 가지 모양

개념 ① ■, ▲, ● 모양을 이용하여 여러 가지 모양 꾸미기

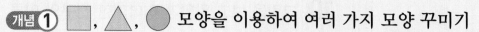

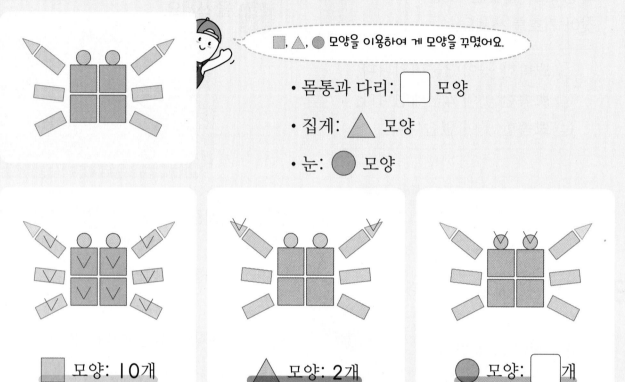

■, ▲, ● 모양을 이용하여 게 모양을 꾸몄어요.

- 몸통과 다리: ☐ 모양
- 집게: ▲ 모양
- 눈: ● 모양

■ 모양: 10개   ▲ 모양: 2개   ● 모양: ☐개

정답 ■, 2

확인 ① ■, ▲, ● 모양을 이용하여 꽃 모양을 꾸몄습니다. ☐ 안에 알맞은 모양을 그려 넣으세요.

(1)
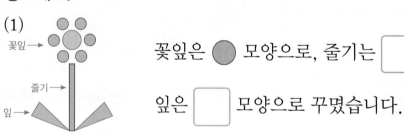
꽃잎 →
줄기 →
잎 →

꽃잎은 ● 모양으로, 줄기는 ☐ 모양으로,

잎은 ☐ 모양으로 꾸몄습니다.

(2)
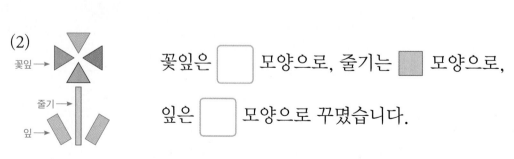
꽃잎 →
줄기 →
잎 →

꽃잎은 ☐ 모양으로, 줄기는 ■ 모양으로,

잎은 ☐ 모양으로 꾸몄습니다.

>> 정답 15쪽

1 준이는 ■, ▲, ● 모양으로 버스를 꾸몄습니다. 버스를 꾸미는 데 이용한 ● 모양은 몇 개일까요?

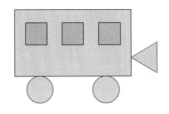

(   )

2 ■, ▲, ● 모양을 이용하여 꾸민 모양입니다. 알맞은 모양에 ○표 하세요.

(1)

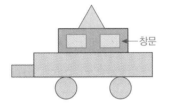

(2)

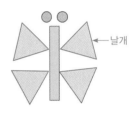

창문을 만드는 데 이용한 모양

날개를 만드는 데 이용한 모양

3 꾸민 모양에 ■, ▲, ● 모양이 각각 몇 개 있는지 세어 보세요.

(1)

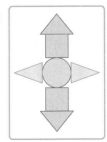

■ 모양 ☐ 개

▲ 모양 ☐ 개

● 모양 ☐ 개

(2)

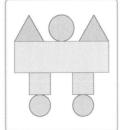

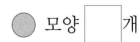

■ 모양 ☐ 개

▲ 모양 ☐ 개

● 모양 ☐ 개

(3)

■ 모양 ☐ 개, ▲ 모양 ☐ 개, ● 모양 ☐ 개

1 ▢, △, ◯ 모양 중 **한 가지 모양**만을 이용하여 꾸민 모양입니다. 이용한 모양을 그리세요.

▢, △, ◯ 중 알맞은 것을 그려 넣으세요.

(1)

☐ 모양

(2)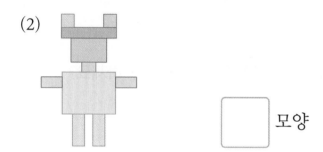

☐ 모양

중요
2 다음에 ▢, △, ◯ 모양이 몇 개 있는지 **세어** 보세요.

▢ 모양 (　　　　　　　)

△ 모양 (　　　　　　　)

◯ 모양 (　　　　　　　)

3 ◯ 모양을 **2개만 이용**한 모양을 찾아 ◯표 하세요.

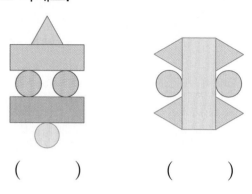

(　　　　)　　　　(　　　　)

4 ▢, △, ◯ 모양 중 다음 모양을 꾸밀 때 **이용하지 않은 모양**을 그리세요.

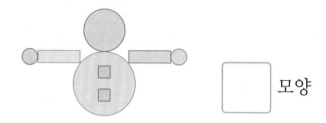

☐ 모양

▢, △, ◯ 중 두 모양에 모두 있는 것을 찾으세요.

5 두 모양을 꾸미는 데 **공통으로 이용**한 모양을 그리세요.

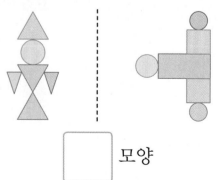

☐ 모양

6 다음 모양을 꾸미는 데 가장 **적게** 이용한 모양에 ○표 하세요.

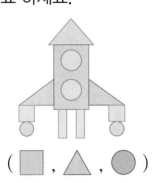

(■ , ▲ , ●)

중요
7 다음 모양을 꾸미는 데 가장 **많이** 이용한 모양에 ○표 하세요.

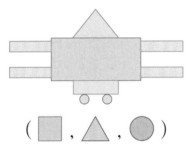

(■ , ▲ , ●)

8 다음 모양을 꾸미는 데 ▲ 모양은 ■ 모양보다 **몇 개 더 많이** 이용했을까요?

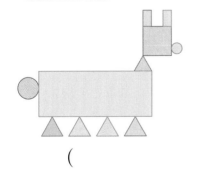

(   )

수학익힘 역량 키우기 문제

9 주어진 모양 조각만을 이용하여 꾸민 모양을 찾아 기호를 쓰세요.
추론

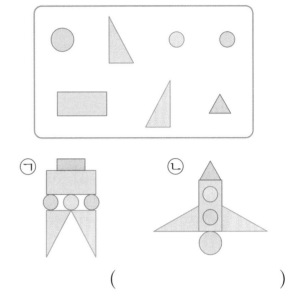

(   )

10 ■ , ▲ , ● 모양을 이용하여 옷을 꾸미세요.
창의 융합

3

여러 가지 모양

서술형 문제 해결

동영상 강의

1 ❸보기의 모양 조각을 모두 이용하여 모양을 만들지 <u>않은</u> 사람은 누구인지 알아보세요.

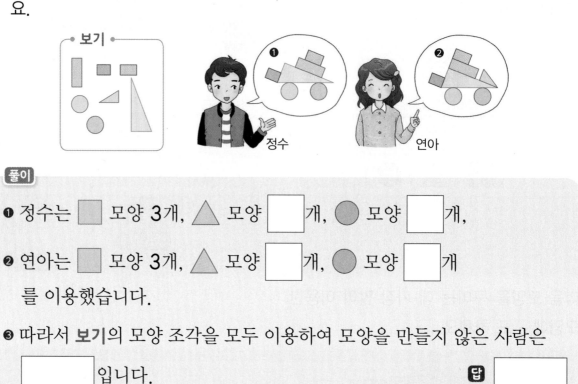

보기

정수   연아

풀이

❶ 정수는 ▢ 모양 **3**개, △ 모양 ☐ 개, ⬤ 모양 ☐ 개,

❷ 연아는 ▢ 모양 **3**개, △ 모양 ☐ 개, ⬤ 모양 ☐ 개
를 이용했습니다.

❸ 따라서 **보기**의 모양 조각을 모두 이용하여 모양을 만들지 않은 사람은
☐ 입니다.   답 ☐

2 다음 모양을 꾸미는 데 ❶**가장 많이 이용한 모양**은 어떤 모양이고, ❷**몇 개**인지 알아보세요.

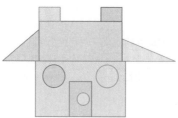

풀이

❶ ▢ 모양 ☐ 개, △ 모양 ☐ 개, ⬤ 모양 ☐ 개를 이용했습니다.

❷ 가장 많이 이용한 모양은 ☐ 모양입니다.

답 ☐ 모양, ☐ 개

3 성수가 꾸민 모양에서❶ △ 모양은❷ ▨ 모양보다❸ 몇 개 더 많은지 알아보세요.

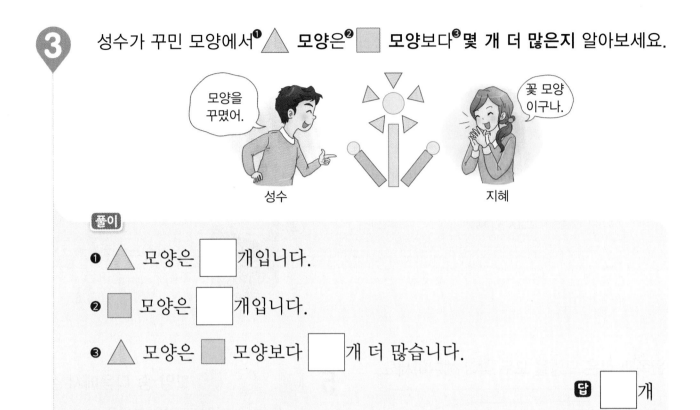

성수   지혜

풀이

❶ △ 모양은 ☐ 개입니다.

❷ ▨ 모양은 ☐ 개입니다.

❸ △ 모양은 ▨ 모양보다 ☐ 개 더 많습니다.

답 ☐ 개

쌍둥이 문제

4 다음 모양에서❶ ▨ 모양은❷ △ 모양보다❸ 몇 개 더 많은지 풀이 과정을 쓰고 답을 구하세요.

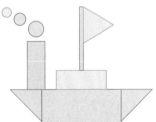

풀이

❶ _____

❷ _____

❸ _____

_____

답 _____

단원평가 3. 여러 가지 모양

점수

1 다음과 같이 본떴을 때 그려지는 모양을 찾아 ○표 하세요.

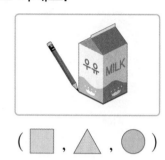

(▢ , △ , ●)

2 왼쪽과 같은 모양을 모두 찾아 색칠하세요.

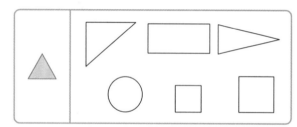

3 모양 조각 중 ▢ 모양은 몇 개일까요?

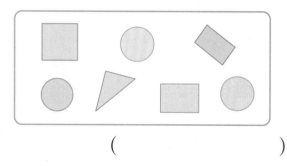

( )

4 물감을 묻혀 찍을 때 나올 수 있는 모양을 모두 찾아 ○표 하세요.

(1)

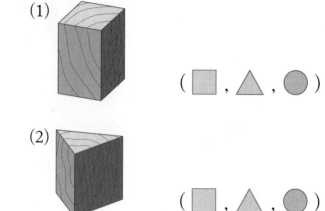

(▢ , △ , ●)

(2)

(▢ , △ , ●)

5 ▢, △, ● 모양 중 다음에서 설명하는 모양은 어떤 모양일까요?

• 뾰족한 곳이 없습니다.
• 병뚜껑에서 같은 모양을 찾을 수 있습니다.

▢ 모양

6 색종이를 그림과 같이 점선을 따라 모두 자르면 어떤 모양이 몇 개 생길까요?

▢ 모양, ( )

7 주어진 모양 조각으로 꾸밀 수 있는 모양을 찾아 기호를 쓰세요.

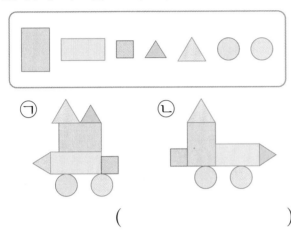

(   )

8 그림을 보고 알맞게 말한 것을 모두 찾아 기호를 쓰세요.

┌─────────────────────────────────┐
│ ㉠ ▨ 모양이 **5**개 있습니다.   │
│   │
│ ㉡ ▨, ▲, ● 모양 중에서 ▲   │
│   │
│   모양이 가장 적습니다.   │
│   │
│ ㉢ ▲ 모양이 **4**개 있습니다.   │
│   │
│ ㉣ ▨, ▲, ● 모양 중에서 가장   │
│   │
│   많이 있는 모양은 ▨ 모양입니다.   │
└─────────────────────────────────┘

(   )

9 ▨, ▲, ● 모양이 몇 개 있는지 세어 보세요.

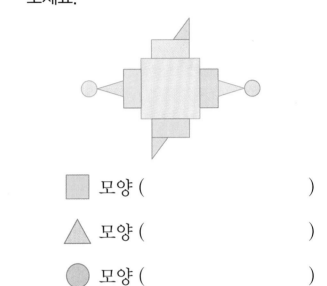

▨ 모양 (   )

▲ 모양 (   )

● 모양 (   )

서술형 문제

10 그림을 보고 ● 모양은 ▨ 모양보다 몇 개 더 많은지 풀이 과정을 쓰고 답을 구하세요.

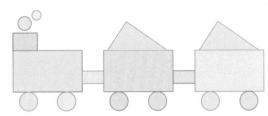

풀이 _____

_____

_____

답 _____

3

여 러 가 지 모 양

1 물건을 본떴을 때 나오는 모양을 찾아 ○표 하세요.

  ()

2 모양인 물건은 어느 것일까요?
(   )

①   ②

③   ④

⑤

3 모양 조각 중 모양은 몇 개일까요?

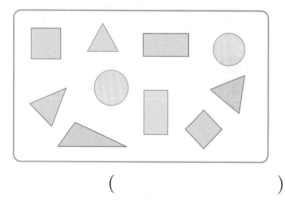

(   )

4 관계있는 것끼리 이으세요.

| 뾰족한 곳이 3군데입니다. | · | · | |

| 뾰족한 곳이 4군데입니다. | · | · | |

| 뾰족한 곳이 없습니다. | · | · | |

5 같은 모양이 <u>아닌</u> 것에 ○표 하세요.

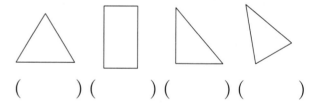

(   ) (   ) (   ) (   )

6 반듯한 선이 <u>없는</u> 모양을 찾아 기호를 쓰세요.

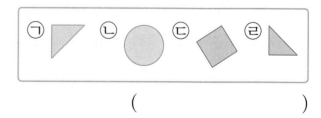

(   )

7 보기의 모양 조각을 모두 사용하여 꾸밀 수 있는 모양을 찾아 기호를 쓰세요.

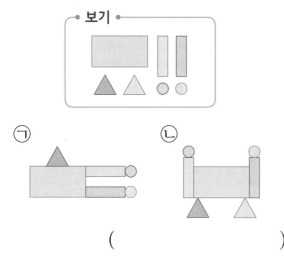

(   )

8 ■, ▲, ● 모양을 이용하여 기차를 꾸몄습니다. 가장 적게 이용한 모양을 그리세요.

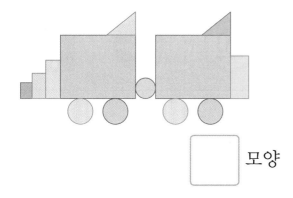

☐ 모양

9 ● 모양과 ▲ 모양의 다른 점을 설명 해 보세요.

_____

_____

_____

서술형 문제

10 ■, ▲, ● 모양으로 다음과 같은 모양을 꾸몄습니다. 가장 많이 이용한 모양과 가장 적게 이용한 모양의 수의 차는 몇 개인지 풀이 과정을 쓰고 답을 구하세요.

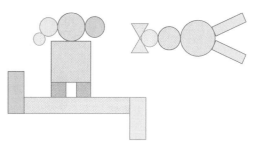

풀이 _____

_____

_____

_____

답 _____

3

여러 가지 모양

창의융합 + 실력UP

동영상 학습

1 헨젤과 그레텔은 보물을 상자 세 개에 나누어 담으려고 합니다. 상자에 있는 모양과 같은 모양의 보물 붙임딱지를 상자에 알맞게 붙이세요. 붙임딱지 사용

2 표지판의 모양이 같은 것끼리 모아 붙임딱지를 붙이세요. 붙임딱지 사용

▢	
△	
◯	

3 주어진 것을 모두 사용하여 만든 모양을 찾아 붙임딱지를 이용하여 붙이세요.

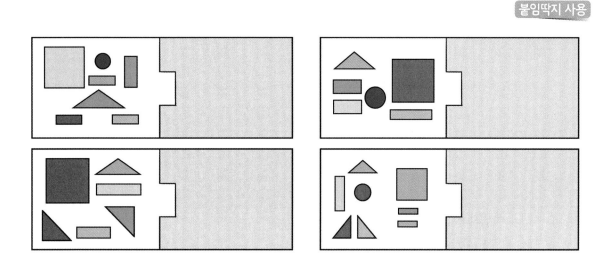

4 ⬜, 🔺, 🔵 모양의 순서로 도착 지점까지 길을 따라 가세요. (단, 양 옆과 위 아래로만 이동할 수 있고, 왔던 길로 다시 갈 수 없습니다.)

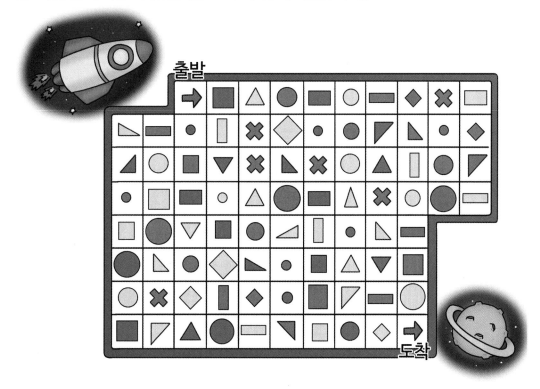

3
여러 가지 모양

4 덧셈과 뺄셈 (2)

1학년

- 세 수의 덧셈과 뺄셈
- 두 수의 덧셈
- 10이 되는 더하기,
  10에서 빼기
- 10을 만들어 더하기

2학년

- 받아올림, 받아내림이
  있는 덧셈과 뺄셈
- 곱셈구구
- 덧셈과 뺄셈의 관계

3~6학년

- 세 자리 수의 덧셈과 뺄셈
- 분수와 소수의 덧셈과 뺄셈
- 분수와 소수의 곱셈과
  나눗셈

간다~ 3점 슛!

7+3=10

이전에 배운 내용 확인하기

1 그림을 보고 덧셈을 하세요.

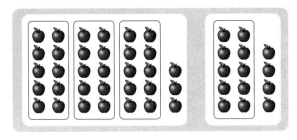

$33+14=\boxed{}$

2 그림을 보고 뺄셈을 하세요.

$18-\boxed{}=\boxed{}$

3 덧셈을 하세요.

$23+1=\boxed{}$

$23+2=\boxed{}$

$23+3=\boxed{}$

$23+4=\boxed{}$

4 뺄셈을 하세요.

$50-10=\boxed{}$

$50-20=\boxed{}$

$50-30=\boxed{}$

$50-40=\boxed{}$

QR 코드를 찍고 **퀴즈 영상 속** 문제도 함께 풀어 보아요.

 동영상 강의

교과서 **개념**

세 수의 덧셈, 세 수의 뺄셈

개념① 세 수의 덧셈

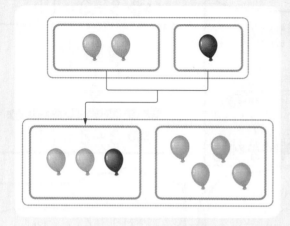

$$2+1+4=7$$
$$3$$
$$7$$

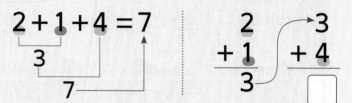

앞의 두 수를 먼저 더해요.

개념② 세 수의 뺄셈

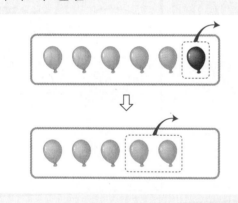

$$6-1-2=\boxed{}$$
$$5$$
$$3$$

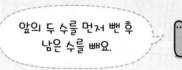

앞의 두 수를 먼저 뺀 후
남은 수를 빼요.

 정답 7, 3

확인① 그림을 보고 □ 안에 알맞은 수를 써넣으세요.

(1)
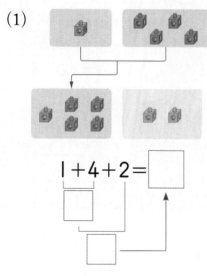

$$1+4+2=\boxed{}$$

(2)
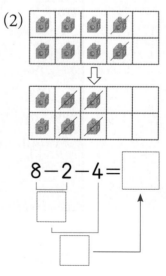

$$8-2-4=\boxed{}$$

공부한 날   월   일

1 그림을 보고 ☐ 안에 알맞은 수를 써넣으세요.

(1)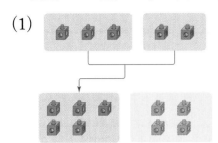

$$3+2+4=\boxed{}$$

(2)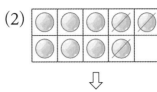

⇩

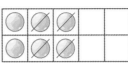

$$9-3-4=\boxed{}$$

4
덧셈과 뺄셈 (2)

2 ☐ 안에 알맞은 수를 써넣으세요.

(1)
$$\begin{array}{r} 1 \\ +\ 3 \\ \hline \boxed{} \end{array} \rightarrow \begin{array}{r} \boxed{} \\ +\ 2 \\ \hline \boxed{} \end{array}$$

$$1+3+2=\boxed{}$$

(2)
$$\begin{array}{r} 8 \\ -\ 3 \\ \hline \boxed{} \end{array} \rightarrow \begin{array}{r} \boxed{} \\ -\ 4 \\ \hline \boxed{} \end{array}$$

$$8-3-4=\boxed{}$$

3 세 수의 덧셈을 하세요.

(1) $4+3+1=\boxed{}$

(2) $2+1+5=\boxed{}$

4 세 수의 뺄셈을 하세요.

(1) $9-2-3=\boxed{}$

(2) $8-1-4=\boxed{}$

1단계 교과서 개념

동영상 강의

두 수의 덧셈

개념 ① 이어 세기로 두 수 더하기

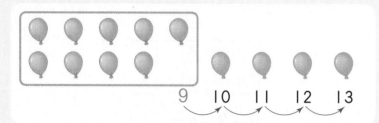

9에서 네 번 더 세면 10, 11, 12, 13이에요.

$$9 + 4 = 13$$

개념 ② 두 수를 바꾸어 더하기

$7 + 4 = \boxed{}$

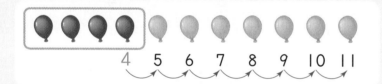

$4 + 7 = \boxed{}$

두 수를 바꾸어 더해도 합이 같습니다.

정답 11, 11

확인 1 그림을 보고 □ 안에 알맞은 수를 써넣으세요.

(1)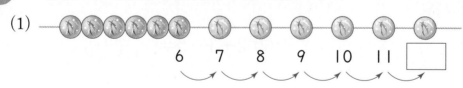

$6 + 6 = \boxed{}$

(2)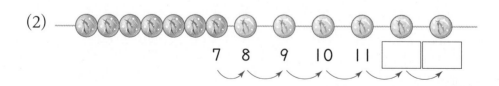

$7 + 6 = \boxed{}$

(3)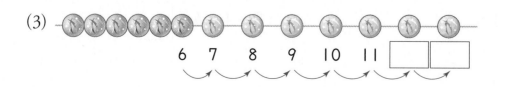

$6 + 7 = \boxed{}$

1 두 수를 바꾸어 더하세요.

(1)

$$2+9=\boxed{}$$

$$9+2=\boxed{}$$

(2)

$$5+8=\boxed{}$$

$$8+\boxed{}=\boxed{}$$

2 그림을 보고 □ 안에 알맞은 수를 써넣으세요.

(1)

$$7+\boxed{}=\boxed{}$$

(2)

$$4+\boxed{}=\boxed{}$$

3 그림을 보고 덧셈을 하세요.

 ⇨ $8+3=\boxed{}$

4 합이 같은 것끼리 이으세요.

3+9	8+7	9+7
•	•	•
•	•	•
7+8	9+3	7+9

1 그림에 맞는 식을 만들고 계산하세요.

(1)

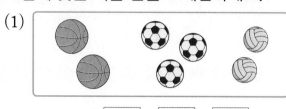

$2+\boxed{}+\boxed{}=\boxed{}$

(2)

왼쪽으로 2마리, 오른쪽으로 3마리 날아갔어요.

$8-\boxed{}-\boxed{}=\boxed{}$

2 계산을 하세요.

(1) $3+5+1=\boxed{}$

(2) $8-1-3=\boxed{}$

3 계산 결과가 같은 두 식을 찾아 기호를 쓰세요.

| ㉠ $9+5$ | ㉡ $6+7$ |
| ㉢ $5+7$ | ㉣ $5+9$ |

(   )

기호를 2개 쓰세요.

4 계산 결과를 찾아 이으세요.

$4+1+2$ ·

$9-2-3$ ·

$2+2+2$ ·

· 4

· 5

· 6

· 7

5 토끼가 **8마리** 있습니다. **4마리가 더 온다면** 모두 몇 마리인지 덧셈식을 쓰세요.

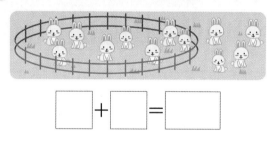

$\boxed{}+\boxed{}=\boxed{}$

6 고리던지기를 하여 **3개**를 걸었습니다. **8개를 더 걸면** 걸린 고리는 모두 몇 개가 될까요?

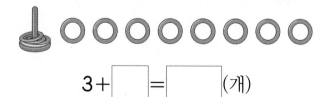

$3+\boxed{}=\boxed{}$ (개)

7 □ 안에 알맞은 수를 써넣어 이야기를 완성하세요.

밤이 ☐ 개 남았습니다.

8 사탕 **8개**가 있었습니다. 내가 **4개**, 동생이 **2개**를 먹었습니다. **남아 있는 사탕**은 몇 개인지 식을 쓰고 답을 구하세요.

식 _____

답 _____

9 계산에서 **잘못된 곳**을 찾아 바르게 고쳐 계산하세요.

$9-3-1=7$ ⇨

9−3−1은 그대로 쓰고 계산하세요.

10 축구 경기에서 몇 골을 넣었는지 나타낸 것입니다. **I반이 넣은 골**은 모두 몇 골일까요?

(   )

4

덧셈과 뺄셈 (2)

11 수호는 음악 소리의 크기를 **8칸에서 2칸**을 줄이고 다시 **4칸을 더** 줄였습니다. 지금 듣고 있는 음악 소리의 크기만큼 색칠하세요.

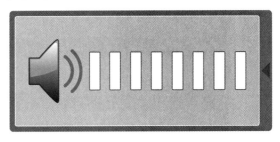

12 알맞게 말한 친구를 찾아 이름을 쓰세요.

 가 다람쥐는 도토리를 아침에 8개, 저녁에 5개 먹었습니다.

 나 다람쥐는 도토리를 아침에 5개, 저녁에 8개 먹었습니다.

은영: 가 다람쥐가 도토리를 더 많이 먹었어.
건호: 두 다람쥐가 먹은 도토리의 수는 같아.

(   )

개념 ① 10이 되는 더하기

$1 + 9 = 10$

$2 + 8 = 10$

$3 + 7 = 10$

$4 + 6 = 10$

$5 + 5 = 10$

$6 + \boxed{} = 10$

$7 + \boxed{} = 10$

$8 + \boxed{} = 10$

$9 + \boxed{} = 10$

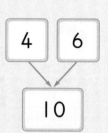

$4 + 6 = 10$

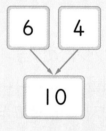

$6 + 4 = 10$

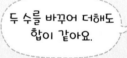 두 수를 바꾸어 더해도 합이 같아요.

정답 4, 3, 2, 1

확인 ① ☐ 안에 알맞은 수를 써넣으세요.

$9 + 1 = \boxed{}$

확인 ② ☐ 안에 알맞은 수를 써넣으세요.

(1)

$\boxed{} + 9 = 10$

(2)

$4 + \boxed{} = 10$

1 그림을 보고 □ 안에 알맞은 수를 써넣으세요.

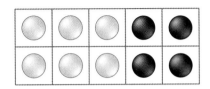

$\boxed{}+\boxed{}=10$

2 그림을 보고 덧셈식을 완성하세요.

(1)

$7+\boxed{}=\boxed{}$

(2)

$4+\boxed{}=\boxed{}$

3 다음 중 10이 되는 덧셈식은 무엇일까요? (   )

① 2+7   ② 5+4   ③ 2+5

④ 8+2   ⑤ 3+6

모아서 10이 되는지 알아보세요.

4 10이 되도록 ○를 그려 넣고 □ 안에 알맞은 수를 써넣으세요.

(1)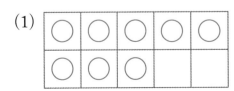

$8+\boxed{}=10$

(2)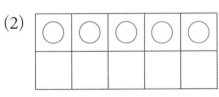

$5+\boxed{}=10$

교과서 개념

동영상 강의

10에서 빼기

개념 ① 10에서 빼기

10 − 1 = 9

10 − 2 = 8

10 − 3 = 7

10 − 4 = 6

10 − 5 = 5

10 − 6 = ☐

10 − 7 = ☐

10 − 8 = ☐

10 − 9 = ☐

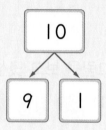

10 − 9 = 1

10 가르기를 이용하여 10에서 빼기를 해요.

정답 4, 3, 2, 1

확인 ① ☐ 안에 알맞은 수를 써넣으세요.

(1)
```
   10
  /  \
 6    ☐
```
10 − 6 = ☐

(2)
```
   10
  /  \
 ☐    8
```
10 − ☐ = 8

확인 ② 그림을 보고 ☐ 안에 알맞은 수를 써넣으세요.

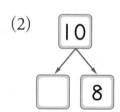

10 − 8 = ☐

1 /으로 알맞게 지우고 뺄셈을 하세요.

(1) 🪙🪙🪙🪙🪙🪙🪙🪙🪙🪙 $10-7=$ ☐

(2) 🪙🪙🪙🪙🪙🪙🪙🪙🪙🪙 $10-2=$ ☐

2 그림을 보고 뺄셈을 하세요.

(1)

$10-3=$ ☐

(2)

$10-4=$ ☐

3 검은색 바둑돌이 흰색 바둑돌보다 몇 개 더 많은지 그림을 보고 알아보세요.

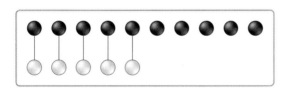

$10-$ ☐ $=$ ☐

4 뺄셈을 하세요.

(1) $10-1=$ ☐   (2) $10-9=$ ☐

1 □ 안에 알맞은 수를 써넣으세요.

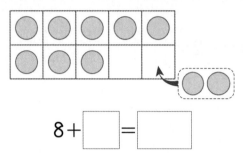

$$8+\boxed{}=\boxed{}$$

2 그림을 보고 뺄셈을 하세요.

(1)

→ 이글루

$$10-2=\boxed{}$$

(2)

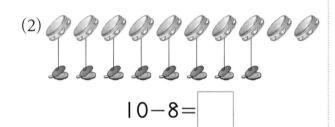

$$10-8=\boxed{}$$

3 **10이 되도록** ○를 그려 넣고 □ 안에 알맞은 수를 써넣으세요.

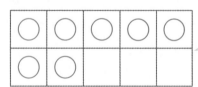

한 칸에 하나씩 ○를 그리세요.

$$7+\boxed{}=10$$

4 □ 안에 알맞은 수를 써넣으세요.

(1) $3+\boxed{}=10$

(2) $\boxed{}+1=10$

중요
5 □ 안에 알맞은 수를 써넣으세요.

(1) $10-6=\boxed{}$

(2) $10-5=\boxed{}$

6 **옆에 있는 수끼리 더해서 10이 되는 두** 수를 모두 찾아 ○표 하고 덧셈식을 쓰세요.

두 수씩 ○표 하세요.

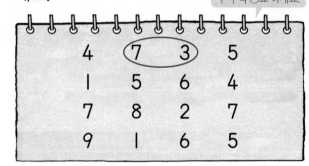

$$7+3=10$$

_____

_____

_____

_____

7 다음 세 수로 만들 수 있는 **덧셈식과 뺄셈식**을 쓰세요.

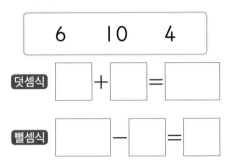

| 6 | 10 | 4 |

덧셈식 ☐ + ☐ = ☐

뺄셈식 ☐ − ☐ = ☐

중요
8 수아는 동화책을 어제 **5쪽** 읽었습니다. 오늘 **5쪽**을 더 읽었다면 수아가 어제와 오늘 읽은 동화책은 **모두 몇 쪽**인지 식을 쓰고 답을 구하세요.

식 _____

답 _____

9 ☐ 모양의 물건은 ⬭ 모양의 물건보다 **몇 개 더 많은지 뺄셈식**을 쓰세요.

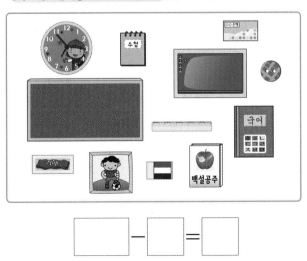

☐ − ☐ = ☐

10 합이 **10이 되는 칸**을 모두 색칠해 보고, **어떤 글자**가 보이는지 쓰세요.

창의
융합

2+8	3+3	2+4	1+9
5+5	4+5	2+7	7+3
3+7	6+3	5+5	8+2
6+4	8+1	3+2	4+6
9+1	3+7	6+2	3+7

(　　　　　　　　　)

4

덧셈과 뺄셈 (2)

11 차를 구하고 보기에서 그 **차의 글자**를 찾아 쓰세요.

추론

보기

| 2 | 3 | 4 | 5 | 6 | 7 |
| 하 | 모 | 나 | 처 | 부 | 님 |

$10-4=$ ☐ ⇨ _____

$10-7=$ ☐ ⇨ _____

$10-3=$ ☐ ⇨ _____

교과서 개념

10을 만들어 더하기

개념 ① 10을 만들어 더하기 (1)

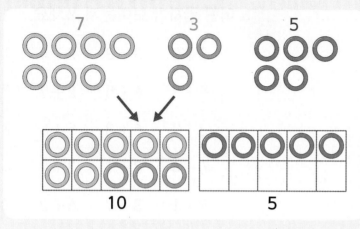

$$7 + 3 + 5 = 15$$

15

개념 ② 10을 만들어 더하기 (2)

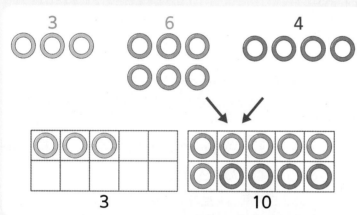

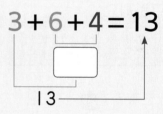

$$3 + 6 + 4 = 13$$

13

두 수를 더해 **10을 만들고** 나머지 수를 더합니다.

01 '01 정답

확인 ① 그림을 보고 □ 안에 알맞은 수를 써넣으세요.

(1)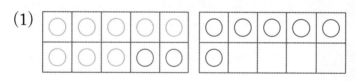

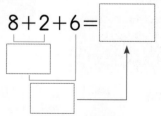

$$8 + 2 + 6 =$$

(2)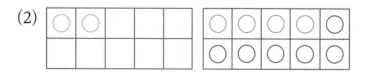

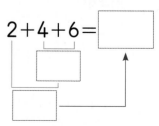

$$2 + 4 + 6 =$$

1 그림을 보고 □ 안에 알맞은 수를 써넣으세요.

(1)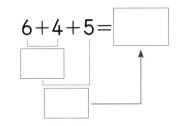

$$6+4+5=\boxed{}$$

(2)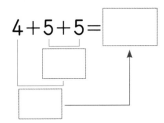

$$4+5+5=\boxed{}$$

2 공의 수에 맞게 ○를 그려 넣고 식을 완성하세요.

$$2+8+\boxed{}=\boxed{}$$

3 □ 안에 알맞은 수를 써넣으세요.

(1) $3+7+5=\boxed{}$

(2) $8+1+9=\boxed{}$

4 합이 10이 되는 두 수를 ◯로 묶은 뒤 세 수의 합을 구하세요.

(1) $7+3+6=\boxed{}$

(2) $1+8+2=\boxed{}$

1 그림을 보고 □ 안에 알맞은 수를 써넣으세요.

(1)

$2+3+7=$ ☐

(2)

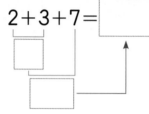

$2+3+7=$ ☐

2 계산을 하세요.

(1) $9+1+4=$ ☐

(2) $3+7+7=$ ☐

(3) $6+8+2=$ ☐

3 합이 같은 것끼리 이으세요.

$8+2+3$ •   • $5+10$

$5+6+4$ •   • $7+10$

$7+5+5$ •   • $10+3$

주사위의 눈의 수는 동그란 모양의 수입니다.

4 준성이가 주사위 **3**개를 던져 나온 눈입니다. 나온 **눈의 수의 합**을 구하세요.

(   )

5 수 카드의 **세 수를 더해** 보세요.

 6   3   7

(   )

6 계산 **결과가 큰 것부터** 차례로 기호를 쓰세요.

> ㉠ 5+5+5
> ㉡ 7+3+4
> ㉢ 8+1+9

(   )

기호 3개를 모두 써야 해요.

중요
7 우희는 파란색 색연필 **5자루**, 빨간색 색연필 **5자루**, 노란색 색연필 **3자루**를 가지고 있습니다. 우희가 가지고 있는 색연필은 모두 몇 자루인지 식으로 나타내세요.

5+□+□=□(자루)

8 유미가 일주일 동안 읽은 책입니다. **모두 몇 권**을 읽었을까요?

동화책	위인전	만화책
5권	5권	4권

□+□+□=□(권)

---

9 보기와 같이 주어진 **글자 수에 알맞게 노래**를 완성해 보세요.

정보처리

┌ 보기 ┐

10글자		
5글자	3글자	2글자
곰 세 마리가	한 집에	있어

연못	물만 먹고 가지요	새벽에 토끼가

세수하러	왔다가	달밤에 노루가

14글자

4
덧셈과 뺄셈 (2)

10 같은 모양끼리 엮어 목걸이를 만들려고 합니다. ▢, △, ○ 모양은 **각각 몇 개씩** 있는지 구하세요.

추론

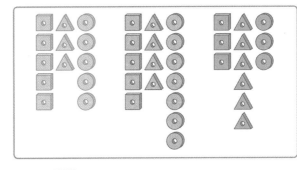

같은 모양끼리 수를 세고 덧셈을 해요.

▢ 모양 (   )

△ 모양 (   )

○ 모양 (   )

3단계 서술형 문제 해결

동영상 강의

1 한나는 ❶공깃돌 10개를 양손에 나누어 가졌습니다. 한나의❷오른손에 7개가 있다면 왼손에는 몇 개가 있는지 알아보세요.

공깃돌이 모두 10개 있는데 오른손에 7개가 있어.

그럼 왼손에는 공깃돌이 몇 개가 있는 거지?

풀이

❶ 10은 7과 ☐으로 가르기를 할 수 있습니다.

❷ 따라서 오른손에 공깃돌이 7개 있으므로 왼손에는

10−7=☐(개)가 있습니다.

답 ☐ 개

2 연우와 아저씨는 ❶1층에서 엘리베이터를 탔습니다. 아저씨는 9층 더 올라가서 내리셨고, 연우는 아저씨보다 5층 더 올라가서 내렸습니다.❷연우는 몇 층에서 내렸는지 알아보세요.

풀이

❶ 세 수의 덧셈을 하면 1+☐+5=☐입니다.

❷ 따라서 연우는 ☐층에서 내렸습니다.

답 ☐ 층

3 ❶주차장에 자동차가 8대 있었습니다. 잠시 후 3대가 나가고 2대가 더 나갔습니다.
❷주차장에 남아 있는 자동차는 몇 대인지 알아보세요.

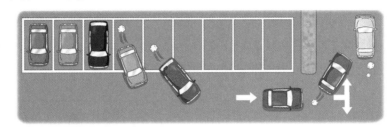

풀이

❶ 자동차가 주차장에서 나갔으므로 뺄셈식을 쓰면 8−3−□ 입니다.

❷ 따라서 주차장에 남아 있는 자동차는

　8−3−□ =5−□ =□ (대)입니다.

답 □ 대

4 ❶학급 문고에 동화책이 9권 있었습니다. 친구들이 지난 주에 4권을 빌려 가고 이번 주에 3권을 빌려 갔습니다.
❷학급 문고에 남아 있는 동화책은 몇 권인지 풀이 과정을 쓰고 답을 구하세요.

풀이

❶ _____

_____

❷ _____

_____

답 _____

1 그림을 보고 덧셈을 하세요.

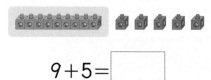

$$9+5=\boxed{}$$

2 그림을 보고 뺄셈을 하세요.

$$10-3=\boxed{}$$

3 □ 안에 알맞은 수를 써넣으세요.

(1) $1+2+4=\boxed{}$

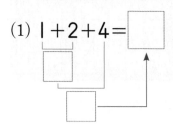

(2) $4+2+8=\boxed{}$

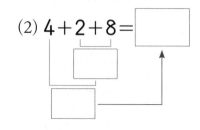

4 합이 10이 되는 두 수를 ◯로 묶은 뒤 세 수의 합을 구하세요.

(1)
8	3
	2

⇨ $\boxed{}$

(2)
6	4
	7

⇨ $\boxed{}$

5 □ 안에 알맞은 수를 써넣으세요.

$$7+\boxed{}=10$$

6 합이 같은 것끼리 이으세요.

$\boxed{5+3+1}$ •   • $\boxed{5+3}$

$\boxed{2+3+7}$ •   • $\boxed{2+10}$

$\boxed{1+4+3}$ •   • $\boxed{8+1}$

>> 정답 21쪽

7 □ 안에 알맞은 수를 써넣어 이야기를 완성하세요.

8 접고 있는 손가락은 몇 개인지 뺄셈식을 쓰고 답을 구하세요.

식 _____

답 _____

9 가장 큰 수에서 나머지 두 수를 뺀 값을 구하세요.

| 2 | 8 | 3 |

(　　　　　　　　)

4

덧셈과 뺄셈 (2)

서술형 문제

10 색종이 8장 중에서 4장으로 종이비행기를 접고, 2장으로 종이배를 접었습니다. 남은 색종이는 몇 장인지 풀이 과정을 쓰고 답을 구하세요.

풀이 _____

_____

_____

_____

답 _____

단원평가

4. 덧셈과 뺄셈 (2)

점수

1 □ 안에 알맞은 수를 써넣으세요.

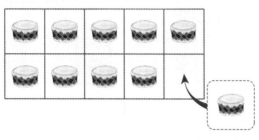

$$9+1=\boxed{}$$

2 계산을 하세요.

$$9-7-1=\boxed{}$$

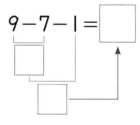

3 머핀은 모두 몇 개인지 식을 써 보세요.

$$\boxed{}+\boxed{}+\boxed{}=\boxed{}$$

4 보기와 같이 계산하세요.

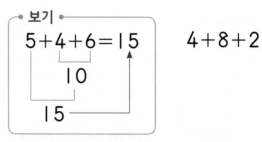

$$4+8+2$$

5 □ 안에 알맞은 수를 써넣으세요.

$$10-5=\boxed{}$$

6 합이 10이 되도록 □ 안에 알맞은 수를 써넣으세요.

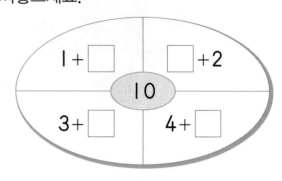

7 다음 음계를 보고 ○ 안에 계이름이 나타내는 번호를 써넣고 계산하세요.

번호	1	2	3	4	5	6	7
계이름	도	레	미	파	솔	라	시

(1) 도+미+솔

⇨ ○ + ○ + ○ = □

(2) 시−파−레

⇨ ○ − ○ − ○ = □

8 영도는 지금까지 훌라후프 7개를 뛰어 넘었습니다. 영도가 6개를 더 뛰어 넘으면 모두 몇 개를 뛰어 넘는 것일까요?

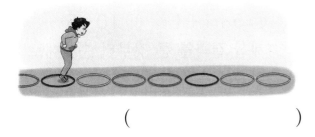

(   )

9 다음을 보고 ▲의 값을 구하세요.

$$10-3=■$$
$$■+5=▲$$

(   )

서술형문제
10 퀴즈 프로그램에서 ○× 문제가 나왔습니다. 10명의 도전자 중에서 2명이 ×라고 답하고 나머지는 ○라고 답했습니다. ○라고 답한 사람은 몇 명인지 풀이 과정을 쓰고 답을 구하세요.

풀이 _____

_____

_____

_____

답 _____

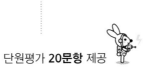

보기와 같이 색연필 두 자루의 길이가 10칸이 되도록 색연필 붙임딱지를 붙이고 식을 완성하세요. (1~3) 붙임딱지 사용

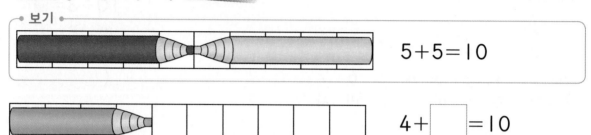

보기

$5+5=10$

1

$4+\boxed{}=10$

2

$\boxed{}+7=10$

3

$8+\boxed{}=10$

4 선물 상자가 자물쇠로 잠겨 있습니다. 힌트 를 보고 자물쇠의 비밀번호를 찾아 쓰세요.

힌트

㉠ $1+6+2$ ㉡ $9-5-3$
ㄷ $5+1+1$ ㄹ $10-5$

계산 결과를 큰 것부터 순서대로 왼쪽에서부터 번호를 맞추면 자물쇠가 열립니다.

비밀번호 ⇨ $\boxed{}$ $\boxed{}$ $\boxed{}$ $\boxed{}$

5 전자제품을 충전하려고 합니다. 계산 결과를 찾아 붙임딱지를 이용하여 콘센트에 꽂아 주세요. 붙임딱지 사용

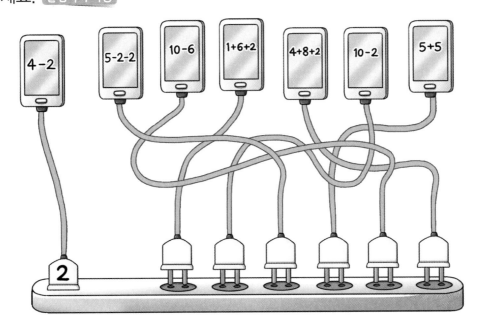

6 대화를 보고 다이아몬드(◆), 스페이드(♠), 클로버(♣) 모양 붙임딱지를 개수에 맞게 붙이세요. 붙임딱지 사용

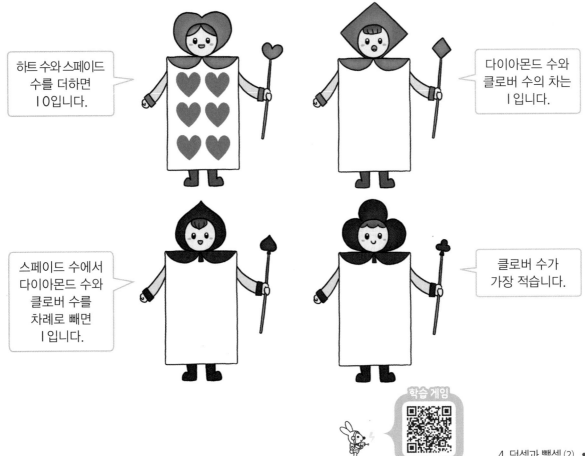

하트 수와 스페이드 수를 더하면 10입니다.

다이아몬드 수와 클로버 수의 차는 1입니다.

스페이드 수에서 다이아몬드 수와 클로버 수를 차례로 빼면 1입니다.

클로버 수가 가장 적습니다.

학습 게임

5 시계 보기와 규칙 찾기

1학년

- '몇 시', '몇 시 30분' 알아보기
- 규칙을 찾아 말하기
- 규칙을 찾아 여러 가지 방법으로 나타내기
- 수 배열에서 규칙 찾기

2학년

- 시각과 시간
- '몇 시 몇 분' 알기
- 규칙 찾기

3~6학년

- 길이와 시간
- 들이와 무게
- 규칙 찾기

서둘러야 해.

4시 30분 비행기를 타야 하거든.

나도 데려가.

느릿느릿

이전에 배운 내용 확인하기

>> 정답 23쪽

1 지금 시각은 **3**시입니다. 빈 곳에 수를 써넣어 시계를 완성하세요.

2 □ 모양에는 빨간색, ○ 모양에는 파란색을 칠하세요.

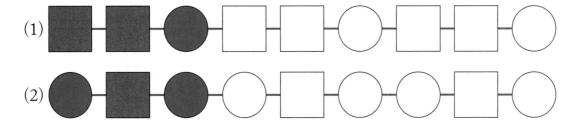

우주로 돌아갈 시각

5시   8시 30분

→ 긴바늘이 12를 가리키면
 몇 시입니다.

→ 긴바늘이 6을 가리키면
 몇 시 30분입니다.

5

시계 보기와 규칙 찾기

QR 코드를 찍고 **퀴즈 영상 속** 문제도 함께 풀어 보아요.

교과서 **개념**

몇 시 알아보기

개념 ① 몇 시 알아보기

짧은바늘이 **8**을 가리키고, **긴바늘**이 **12**를 가리킬 때 시계는 **8시**를 나타내고 **여덟 시** 라고 읽습니다.

 ⇨ 8시

'몇 시'라고 읽어요.

8시, 10시 등을 시각이라고 해요.

개념 ② 몇 시를 시계에 나타내기

10시는 **짧은바늘**이 **10**을 가리키고, **긴바늘**이 ☐를 가리키도록 나타냅니다.

정답 12

확인 ① 시계를 보고 ☐ 안에 알맞은 수나 말을 써넣으세요.

짧은바늘이 ☐을 가리키고, 긴바늘이 12를 가리킬 때 시계는 ☐시를 나타내고 ☐시라고 읽습니다.

확인 ② 몇 시인지 시계에 나타내세요.

(1)
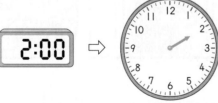

(2)

1 시계를 보고 몇 시인지 쓰세요.

(1)

  시

(2)

 시

2 그림을 보고 알맞은 시각은 몇 시인지 쓰세요.

(1)

아침 식사를 한 시각
(   )

(2)

축구를 한 시각
(   )

3 몇 시인지 시계에 나타내세요.

(1)

4시 ⇨

(2)

3시 ⇨

(3)

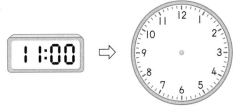 ⇨

(4)

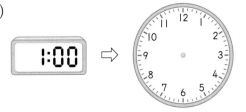 ⇨

개념 **①** 몇 시 30분 알아보기

짧은바늘이 **9와 10 사이**, **긴바늘**이 **6**을 가리킬 때 시계는 **9시 30분**을 나타내고 **아홉 시 삼십 분**이라고 읽습니다.

9:30 ⇨ 9시 30분

앞은 '몇 시' 라고 읽어요.

뒤는 '몇 분' 이라고 읽어요.

9시 30분, 7시 30분 등을 시각이라고 해요.

개념 **②** 몇 시 30분을 시계에 나타내기

7:30 ⇨

7시 30분은 **짧은바늘**이 **7과 8 사이**, **긴바늘**이 ☐을 가리키도록 나타냅니다.

9 핵심

확인 **1** 시계를 보고 ☐ 안에 알맞은 수를 써넣으세요.

짧은바늘이 4와 5 사이, 긴바늘이 ☐을 가리킬 때 시계는 ☐시 30분을 나타냅니다.

확인 **2** 몇 시 몇 분인지 시계에 나타내세요.

(1)

11:30 ⇨

(2)

3:30 ⇨

1 시계를 보고 몇 시 몇 분인지 쓰세요.

(1)

6:30   ☐ 시 ☐ 분

(2)

☐ 시 ☐ 분

2 그림을 보고 알맞은 시각은 몇 시 몇 분인지 쓰세요.

(1)

피아노를 친 시각

(   )

(2)

줄넘기를 한 시각

(   )

3 몇 시 몇 분인지 시계에 나타내세요.

(1)

5시 30분 ⇨

(2)

8시 30분 ⇨

(3)

10:30 ⇨

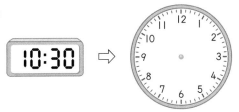

(4)

12:30 ⇨

1 시각을 쓰세요.

(1) (2)

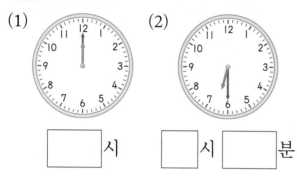

☐ 시 ☐ 시 ☐ 분

2 9시 30분을 나타내는 시계에 ○표 하세요.

( ) ( ) ( )

중요
3 시각에 알맞게 **시곗바늘**을 그려 넣으세요.

(1)

3시 ⇨

(2)

11시 30분 ⇨

4 시계를 보고 **시각을 바르게 읽은 사람**의 이름을 쓰세요.

- 진형: 1시 30분
- 동규: 12시 30분
- 은솔: 6시 30분

( )

5 **시곗바늘**을 그려 넣고 **시각**을 쓰세요.

짧은바늘 ⇨ 10과 11 사이
긴바늘 ⇨ 6

시곗바늘도 그리고
시각도 쓰세요.

시각 _____

중요
6 같은 **시각**끼리 이으세요.

• • 7:30

• • 4:00

혜은이의 하루 일과 중 일부분을 나타낸 것입니다. 물음에 답하세요. (7~9)

수업을 들었습니다.   영화를 관람했습니다.

6시에 학원에 갔습니다.   텔레비전을 봤습니다.

7 혜은이는 **몇 시에 수업**을 들었을까요?

( )

8 혜은이가 **텔레비전을 본 시각**을 쓰세요.

( )

9 혜은이가 다음 **활동을 한 시각**을 시계에 나타내세요.

영화를 관람한 시각   학원에 간 시각

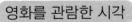

짧은바늘과 긴바늘을 모두 나타내세요.

10 그림을 보고 □ 안에 **알맞은 수**를 써넣으세요.
정보처리

아침 □시 □분에 세수를 하고

저녁 □시에 잠을 잤습니다.

서술형 문제

11 다음 두 시각을 넣어 **어제 있었던 일**을 쓰세요.
창의융합

   4:00

_____

_____

12 시곗바늘이 **잘못** 그려진 시계를 찾아 △표 하세요.
문제해결

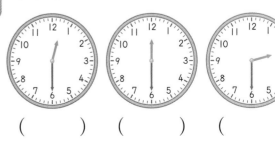

( )   ( )   ( )

5 시계 보기와 규칙 찾기

동영상 강의

규칙을 찾아 말하기

개념 ① 규칙 찾기

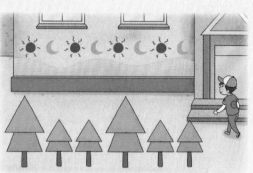

• 건물 벽에 그려진 그림에는 **해 – 달** 모양이 반복되고 있습니다.

• 건물 주변 나무 모형은

큰 나무 – 작은 나무 – [ ] 나무 가

반복되고 있습니다.

개념 ② 규칙을 찾아 말하기

• 색깔을 보고 규칙 찾기

규칙 빨간색과 파란색이 반복됩니다.

• 방향을 보고 규칙 찾기

규칙 ↑ 와 [ ] 가 반복됩니다.

← '답의 요승'

확인 ① 규칙을 찾아 빈칸에 알맞은 그림을 그리고 색칠하세요.

확인 ② 규칙을 찾아 ☐ 안에 알맞은 색깔을 써넣으세요.

규칙 노란색 – [ ] – 주황색이 반복되는 규칙입니다.

1 그림을 보고 물음에 답하세요.

(1) □ 안에 알맞은 모양을 그리고 색칠하세요.

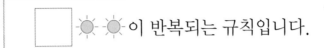

☐  이 반복되는 규칙입니다.

(2) 규칙에 따라 빈칸에 알맞은 모양을 찾아 ○표 하세요.

(☆ , ☀)

2 규칙에 따라 빈칸에 알맞은 동물의 이름을 쓰세요.

(   )

3 규칙에 따라 빈칸에 알맞은 모양을 그리고 색칠하세요.

4 규칙을 바르게 설명한 것의 기호를 쓰세요.

㉠ 연필─지우개─연필이 반복됩니다.
㉡ 연필─지우개가 반복됩니다.

(   )

개념① 규칙을 찾아 여러 가지 방법으로 나타내기

수로 나타내기	1	2	2	1	2	2	1	2	2
그림으로 나타내기	□	○	○	□	○	○	□	○	○

말로 설명하기 샌드위치-피자-피자가 반복됩니다.

수로 나타내기 샌드위치는 1, 피자는 □ 로 나타냈습니다.

그림으로 나타내기 샌드위치는 □, 피자는 ○로 나타냈습니다.

개념② 규칙을 만들어 무늬 꾸미기

첫째, 셋째 줄은 **빨간색**과 **노란색**이
반복되고,
둘째, 넷째 줄은 **노란색**과 **빨간색**이
반복되는 규칙으로 무늬를 꾸몄습니다.

정답 2

확인① 규칙을 ○와 △를 이용하여 나타내세요.

○	○	△	△	○	○	△					

확인② 규칙에 따라 색칠하세요.

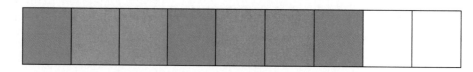

1 규칙에 따라 빈칸에 알맞은 모양을 그리세요.

2 규칙에 따라 빈칸에 알맞은 수를 써넣으세요.

| 0 | 5 | 5 | 0 | | | | | |

3 규칙에 따라 빈칸에 알맞은 그림에 ○표 하세요.

(, ,)

4 규칙에 따라 색칠하고 □ 안에 알맞은 색깔을 써넣으세요.

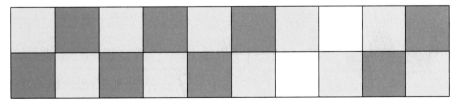

규칙 첫째 줄은 노란색과 ▢ 이 반복되고, 둘째 줄은 파란색과 노란 색이 반복됩니다.

5 시계 보기와 규칙 찾기

1 규칙에 따라 □ 안에 알맞은 모양을 찾아 ○표 하세요.

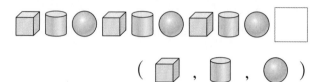

(🟦 , 🛢 , ⚪)

중요
2 규칙에 따라 □ 안에 알맞은 동물을 찾아 ○표 하세요.

곰   돼지

(🐻 , 🐷)

규칙에 따라 알맞게 색칠하세요. (3~4)

3

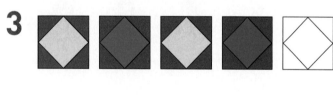

4

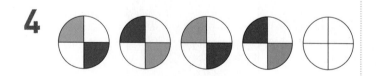

5 그림을 보고 **건물들의 규칙**을 쓴 것입니다. **알맞은 수**에 ○표 하세요.

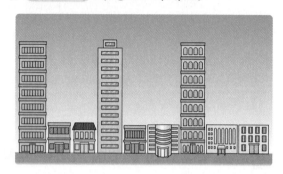

높은 건물 (1 , 2)채와 낮은 건물 (1 , 2)채가 반복되는 규칙입니다.

책꽂이에 책이 규칙에 따라 꽂혀 있습니다. 물음에 답하세요. (6~7)

6 **어떤 규칙으로 책이 꽂혀 있는지** □ 안에 알맞은 색깔을 써넣으세요.

노란색 — [   ]

[   ] — [   ]

책이 반복되는 규칙으로 꽂혀 있습니다.

7 규칙에 따라 책꽂이의 **빈 곳에 꽂아야 할 책**은 **어떤 색깔**일까요?

(   )

8 신호등은 규칙에 따라 불이 켜집니다. **어떤 규칙으로 불이 켜지는지** 쓰세요.

규칙 _____

_____

9 규칙에 따라 빈칸에 **알맞은 모양**을 그리세요.

→ 빗자루   → 쓰레받기

○	○	□	○				

10 석찬이는 지난주에 규칙에 따라 옷을 바꿔 입었습니다. **일요일에 석찬이가 입은 옷의 색깔**을 쓰세요.

월	화	수	목	금	토	일

(   )

11 규칙을 알맞게 말한 사람을 찾아 ○표 하세요.

정보 처리

검은색 바둑돌과 흰색 바둑돌이 2개씩 반복되는 규칙이야.

검은색 바둑돌 2개와 흰색 바둑돌 1개가 반복되는 규칙이야.

나리   윤호

(   ) (   )

12 □ 안에 **알맞은 모양을** 그리고 **그 모양의 물건**을 찾아 쓰세요.

창의 융합

_____

13 ○, ♡ 모양으로 **규칙을 만들어 무늬를 꾸며** 보세요.

추론

여러 가지 답이 나올 수 있어요.

14 규칙에 따라 빈칸에 들어갈 **펼친 손가락은 모두 몇 개**일까요?

문제 해결

(   )

단위(개)도 써야 해요.

5 시계 보기와 규칙 찾기

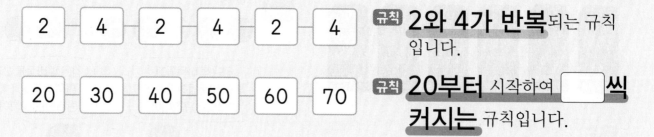

개념 ① 수 배열에서 규칙 찾아보기

| 2 | 4 | 2 | 4 | 2 | 4 |

규칙 **2와 4가 반복**되는 규칙입니다.

| 20 | 30 | 40 | 50 | 60 | 70 |

규칙 **20부터** 시작하여 [ ]**씩 커지는** 규칙입니다.

개념 ② 수 배열표에서 규칙 찾아보기

1	2	3	4	5	6	7	8	9	10
11	12	13	14	15	16	17	18	19	20
21	22	23	24	25	26	27	28	29	30
31	32	33	34	35	36	37	38	39	40
41	42	43	44	45	46	47	48	49	50
51	52	53	54	55	56	57	58	59	60

⋯⋯에 있는 수는 21부터 시작하여 **오른쪽**으로 1칸 갈 때마다 [ ]**씩** 커집니다.

⋯⋯에 있는 수는 4부터 시작하여 **아래쪽**으로 1칸 갈 때마다 **10씩** 커집니다.

정답 10, 1

확인 ① 규칙에 따라 빈 곳에 알맞은 수를 써넣으세요.

| 20 | 22 | 24 | 26 | 28 | 30 | | |

확인 ② 규칙을 찾아 색칠하세요.

21	22	23	24	25	26	27	28	29	30
31	32	33	34	35	36	37	38	39	40
41	42	43	44	45	46	47	48	49	50
51	52	53	54	55	56	57	58	59	60

1 규칙에 따라 빈칸에 알맞은 수를 써넣으세요.

(1) $\boxed{5}$ — $\boxed{9}$ — $\boxed{5}$ — $\boxed{9}$ — $\boxed{}$ — $\boxed{9}$

(2) $\boxed{99}$ — $\boxed{}$ — $\boxed{97}$ — $\boxed{}$ — $\boxed{95}$ — $\boxed{94}$

2 색칠한 수의 규칙을 알아보고 □ 안에 알맞은 수를 써넣으세요.

1	2	3	4	5	6	7	8	9	10
11	12	13	14	15	16	17	18	19	20
21	22	23	24	25	26	27	28	29	30
31	32	33	34	35	36	37	38	39	40

규칙 3부터 시작하여 $\boxed{}$ 씩 커집니다.

3 규칙에 따라 색칠하세요.

31	32	33	34	35	36	37	38	39	40
41	42	43	44	45	46	47	48	49	50
51	52	53	54	55	56	57	58	59	60
61	62	63	64	65	66	67	68	69	70

4 수 배열에서 규칙을 찾아 □ 안에 알맞은 수를 써넣으세요.

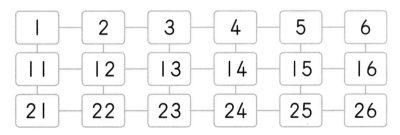

1	2	3	4	5	6
11	12	13	14	15	16
21	22	23	24	25	26

규칙 오른쪽으로는 1칸 갈 때마다 $\boxed{}$ 씩 커지고,

아래쪽으로는 1칸 갈 때마다 $\boxed{}$ 씩 커집니다.

5

시계 보기와 규칙 찾기

규칙에 따라 빈칸에 알맞은 수를 써넣으세요. (1~3)

1 9 13 ☐ 21 ☐ 29

2 46 41 36 ☐ 26 ☐

오른쪽으로 갈수록 수가 작아집니다.

3 7 9 7 9 7 ☐ ☐

규칙에 따라 수를 배열하세요. (4~5)

4 17부터 시작하여 2씩 커집니다.

17 21 23 27

5 34부터 시작하여 4씩 작아집니다.

34 26 18 14

수 배열표를 보고 물음에 답하세요. (6~8)

1	2	3	4	5	6	7	8	9	10
11	12	13	14	15	16	17	18	19	20
21	22	23	24	25	26	27	28	29	30
31	32	33	34	35	36	37	38	39	40
41	42	43	44	45	46	47			

6 ‥‥‥에 있는 수는 **어떤 규칙**이 있을까요?

규칙 _____

_____

7 ┊에 있는 수는 **어떤 규칙**이 있을까요?

규칙 _____

_____

8 규칙에 따라 ☐에 **알맞은 수**를 써넣으세요.

중요
9 **수 배열에서 규칙**을 찾아 쓰세요.

10 — 9 — 8 — 7 — 6

규칙 _____

_____

10 규칙에 따라 **색칠**하세요.

61	62	63	64	65	66	67	68	69	70
71	72	73	74	75	76	77	78	79	80
81	82	83	84	85	86	87	88	89	90
91	92	93	94	95	96	97	98	99	100

11 규칙에 따라 **색칠**하고 **규칙**을 쓰세요.

31	32	33	34	35	36	37	38	39	40
41	42	43	44	45	46	47	48	49	50
51	52	53	54	55	56	57	58	59	60

규칙 _____

_____

12 (중요) 수 배열표에서 규칙에 따라 **색칠한 칸에 알맞은 수**를 써넣으세요.

21		24		27		30
	33		36		39	
	42		45		48	

13 (추론) 규칙에 따라 **빈칸에 알맞은 수**를 써넣으세요.

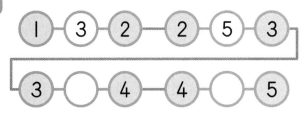

14 (창의융합) 계산기에 있는 수 배열입니다. **규칙을 찾아 2가지**만 쓰세요.

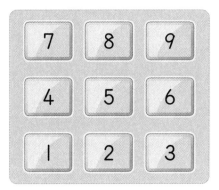

규칙 _____

_____

15 (추론) 서로 **다른 규칙**이 나타나게 빈칸에 **알맞은 수**를 써넣으세요.

3단계 서술형 문제 해결

1 **진희와 주영이가 도서관에 도착한 시각**을 나타낸 것입니다. 도서관에 더 **일찍 도착한 사람**은 누구인지 알아보세요.

진희  주영

> 풀이

❶ 진희와 주영이가 도착한 시각을 각각 구하세요.

진희가 도착한 시각: ☐ 시 ☐ 분

주영이가 도착한 시각: ☐ 시 ☐ 분

❷ 따라서 도서관에 더 일찍 도착한 사람은 ☐ (이)입니다.

답 ☐

2 수 배열표에서 **❶색칠한 수의 규칙**을 보고 마지막 **❷색칠한 빈 곳에 알맞은 수**를 알아보세요.

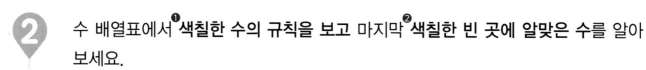

51	52	53	54	55	56	57
58			61	62		
65						

> 풀이

❶ 주어진 수 배열표에서 색칠한 수는 53부터 ☐ 씩 커지는 규칙입니다.

❷ 마지막 색칠한 빈 곳에 알맞은 수는 65보다 ☐ 만큼 더 큰 수인

☐ 입니다.

답 ☐

3 ●야구부 친구들이 등 번호의 규칙에 따라 앉아 있습니다. ●맨 오른쪽에 앉은 친구의 등 번호를 알아보세요.

풀이

● 등 번호 규칙에 맞게 ☐ 안에 알맞은 수를 써넣으세요.

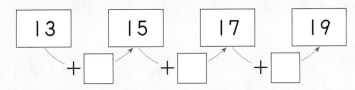

13부터 시작하여 ☐씩 커지는 규칙입니다.

● 따라서 맨 오른쪽에 앉은 친구의 등 번호는 19보다 ☐만큼 더 큰 수

인 ☐입니다.   답 ☐

4 혜원이는 ●규칙을 만들어 수 카드를 늘어놓고 있습니다. ●맨 오른쪽에 놓인 수 카드에 알맞은 수는 얼마인지 풀이 과정을 쓰고 답을 구하세요.

| 3 | 3 | 9 | 3 | 3 | 9 | 3 | ☐ |

풀이

● _____

● _____

_____

답 _____

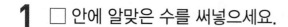

1 □ 안에 알맞은 수를 써넣으세요.

> 10시일 때 시계의 짧은바늘은
>
> □ 을/를 가리키고, 긴바늘은
>
> □ 을/를 가리킵니다.

2 2시 30분을 나타내는 시계는 어느 것일까요? ( )

①  ②

③  ④

⑤

3 규칙에 따라 □ 안에 알맞은 모양을 그리세요.

4 수지는 가족과 함께 바닷가에 놀러갔습니다. 집에서 8시 30분에 출발하여 바닷가에 11시에 도착했습니다. 집에서 출발한 시각과 바닷가에 도착한 시각을 시계에 나타내세요.

출발 시각  도착 시각

5 효재가 버스에서 본 손잡이입니다. 손잡이가 달려 있는 규칙을 쓰세요.

규칙 _____

_____

6 규칙에 따라 빈칸에 알맞은 수를 써넣으세요.

500	100	500	500	100	500	500	100	500
5	1	5	5	1	5			

7 서로 다른 두 가지 모양이 있습니다. 두 모양을 모두 사용하여 서로 다른 규칙으로 두 포장지 무늬를 꾸며 보세요.

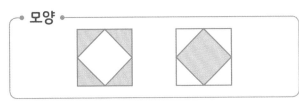

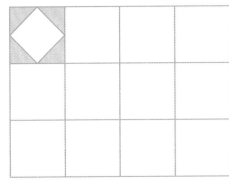

8 ······에 있는 수와 같은 규칙으로 빈칸에 알맞은 수를 써넣으세요.

5	10	15	20	25	30
35	40	45	50	55	60
65	70	75	80	85	90

6			

9 재연이네 가족이 집에 들어온 시각을 나타낸 것입니다. 두 번째로 늦게 들어온 사람은 누구일까요?

아버지 9:00   어머니 7:30

재연   동생

(   )

서술형 문제
10 학생들이 서 있는 규칙을 2가지만 쓰세요.

규칙

5
시계 보기와 규칙 찾기

1 시각을 쓰세요.

( )

2 규칙에 따라 □ 안에 알맞은 모양에 ○표 하세요.

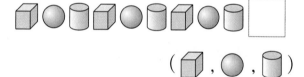

(, ,)

3 규칙에 따라 리듬 치기를 하면서 빈칸에 알맞은 모양을 그리고 색칠하세요.

무릎치기	손뼉치기	발 구르기
■	◆	●

| ■ | ◆ | ● | ■ | ◆ | ● | ■ | | |

4 시계의 짧은바늘이 6을 가리키는 시각은 어느 것일까요? ( )

① 5시　　　　② 5시 30분

③ 6시　　　　④ 6시 30분

⑤ 7시

5 규칙을 바르게 설명한 것을 찾아 기호를 쓰세요.

┌─────────────────────────────┐
│ ㉠ 자동차 한 대와 비행기 한 대가
│ 　 반복됩니다.
│ ㉡ 자동차 두 대와 비행기 두 대가
│ 　 반복됩니다.
│ ㉢ 자동차 한 대와 비행기 두 대가
│ 　 반복됩니다.
└─────────────────────────────┘

( )

6 규칙에 따라 빈칸에 알맞은 모양을 그리세요.

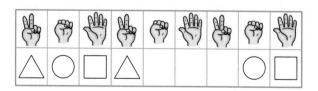

| △ | ○ | □ | △ | | | | ○ | □ |

7 규칙에 따라 알맞은 색으로 빈칸을 색칠 하세요.

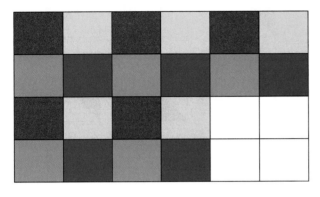

8 규칙을 찾아 색칠한 칸에 알맞은 수를 써 넣으세요.

27	28	29			32	33
34						40
			44			
		50	51			

9 시계의 짧은바늘과 긴바늘이 같은 숫자를 가리키는 시각을 시계에 나타내세요.

서술형 문제

10 7시 30분에 대한 설명 중 옳지 <u>않은</u> 것 의 기호를 쓰고 바르게 고치세요.

> ㉠ 시계의 짧은바늘이 **7**을 가리킵 니다.
> ㉡ 시계의 긴바늘이 **6**을 가리킵니다.
> ㉢ **10**시 **30**분과 긴바늘이 가리키 는 숫자가 같습니다.

(   )

바르게 고치기 ＿＿＿＿＿＿＿＿＿＿

＿＿＿＿＿＿＿＿＿＿＿＿＿＿＿＿

＿＿＿＿＿＿＿＿＿＿＿＿＿＿＿＿

5

시계 보기와 규칙 찾기

문제 생성기

창의융합 + 실력UP

동영상 학습

1 규칙에 따라 빈 곳에 알맞은 붙임딱지를 붙이세요. [붙임딱지 사용]

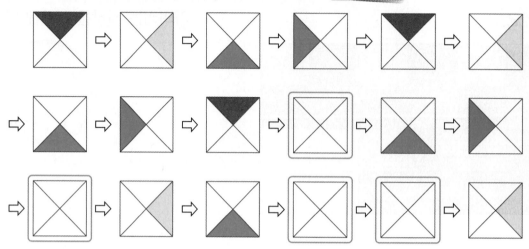

2 다음 시계 그림 카드를 보고 물음에 답하세요. [붙임딱지 사용]

(1) 같은 시각을 나타내는 붙임딱지를 찾아 각 카드의 아래 카드에 붙이세요.

(2) 가장 빠른 시각을 나타내는 카드의 기호를 쓰세요.

(   )

3 상자에 우유와 빵을 다음과 같은 규칙으로 담으려고 합니다. 이 상자에 담을 수 있는 빵과 우유를 알맞게 붙이고 빵은 모두 몇 개 담을 수 있는지 구하세요. 붙임딱지 사용

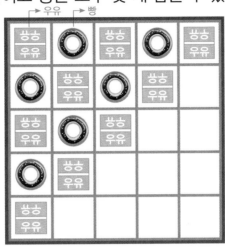

(   )

🖊 지민이의 계획표를 보고 시각에 알맞게 시곗바늘을 그리세요. (4~6)

계획표

- 발레하기: 10시 30분
- 점심 식사: 1시
- 수영하기: 3시
- 공부하기: 6시 30분

4

5

6

5 시계 보기와 규칙 찾기

6 덧셈과 뺄셈 (3)

1학년

- 10을 이용하여 모으기와 가르기
- (몇)+(몇)=(십몇)의 덧셈하기
- (십몇)−(몇)=(몇)의 뺄셈하기

2학년

- 받아올림, 받아내림이 있는 두 자리 수의 덧셈과 뺄셈
- 곱셈구구

3~6학년

- 세 자리 수의 덧셈과 뺄셈
- 분수의 덧셈과 뺄셈
- 소수의 덧셈과 뺄셈
- 분수의 곱셈과 나눗셈
- 소수의 곱셈과 나눗셈

10을 만들려면
9에 1을 더해야 해.

9 + 3
1   2

이전에 배운 내용 확인하기

>> 정답 30쪽

1 코끼리가 모두 몇 마리인지 덧셈식을 쓰세요.

□ + □ + □ = □

2 보기와 같이 합이 10인 두 수를 먼저 계산하여 세 수의 덧셈을 하세요.

┌ 보기 ┐
$$5+4+6=15$$
    10
  15

(1) $4+5+5$

(2) $2+7+3$

3 보기와 같이 세 수의 뺄셈을 하세요.

┌ 보기 ┐

$$8-2-1=5$$

(1)
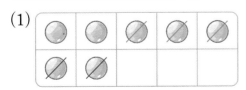
$$7-2-3=\boxed{}$$

(2)

$$9-3-3=\boxed{}$$

6
덧셈과 뺄셈 (3)

안녕, 작별의 순간

QR 코드를 찍고 **퀴즈 영상** 속 문제도 함께 풀어 보아요.

퀴즈 영상

개념 **1** 10을 이용하여 모으기와 가르기

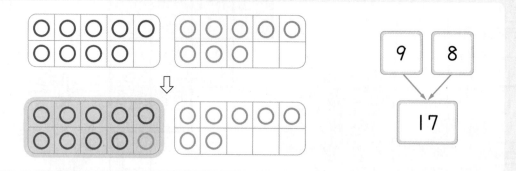

9와 8을 모으면 10과 7이 되어 **17**이 됩니다.

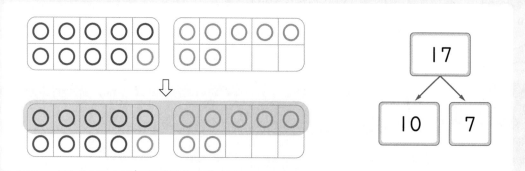

17은 10과 7로 가르기를 할 수 있습니다.

확인 **1** 그림을 보고 빈 곳에 알맞은 수를 써넣으세요.

(1)   (2)

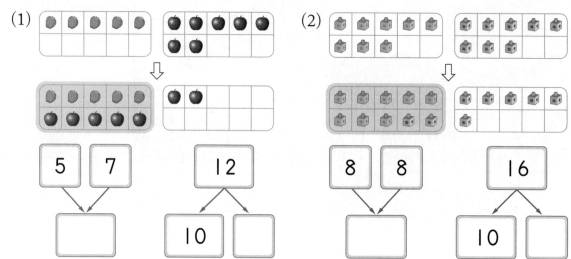

1 그림을 보고 빈 곳에 알맞은 수를 써넣으세요.

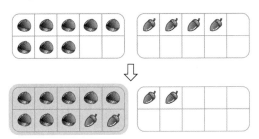

(1)
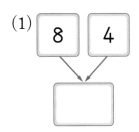

8   4

(2)
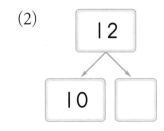

12

10

2 알맞게 ○를 그려 넣고 빈 곳에 알맞은 수를 써넣으세요.

(1)
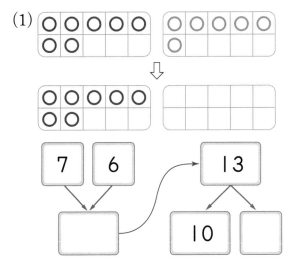

7   6

13

10

(2)
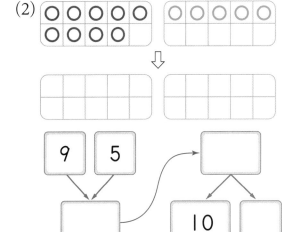

9   5

10

3 10을 이용하여 모으기와 가르기를 했습니다. 빈 곳에 알맞은 수를 써넣으세요.

(1)
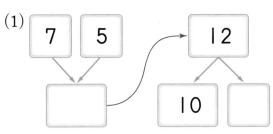

7   5

12

10

(2)
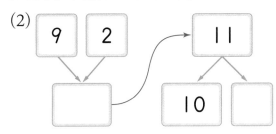

9   2

11

10

6

덧셈과 뺄셈 (3)

교과서 개념

동영상 강의

덧셈하기 (1), (2), (3)

개념 ① 10을 만들어 덧셈하기

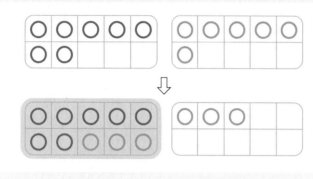

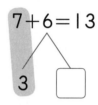

$7+6=13$

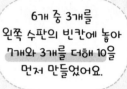

6개 중 3개를 왼쪽 수판의 빈칸에 놓아 7개와 3개를 더해 10을 먼저 만들었어요.

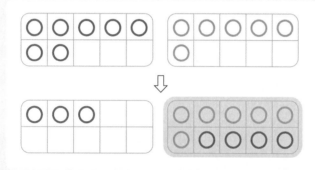

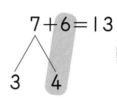

$7+6=13$

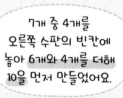

7개 중 4개를 오른쪽 수판의 빈칸에 놓아 6개와 4개를 더해 10을 먼저 만들었어요.

개념 ② 규칙이 있는 덧셈

7	$+$	7	$=$	14
7	$+$	8	$=$	15
7	$+$	9	$=$	16

합도 1씩 커집니다.

1씩 커짐

7	$+$	8	$=$	15
6	$+$	8	$=$	14
5	$+$	8	$=$	13

합도 1씩 작아집니다.

1씩 작아짐

정답 3

확인 ① 그림을 보고 □ 안에 알맞은 수를 써넣으세요.

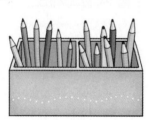

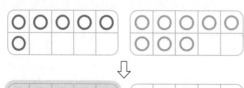

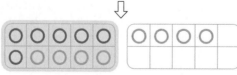

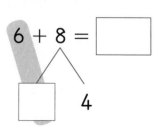

$6+8=$ ☐

☐ 4

1 덧셈을 하세요.

(1)
$$6+5=11$$
$$6+6=\boxed{}$$
$$6+7=\boxed{}$$

(2)
$$6+9=15$$
$$5+9=\boxed{}$$
$$4+9=\boxed{}$$

2 그림을 보고 □ 안에 알맞은 수를 써넣으세요.

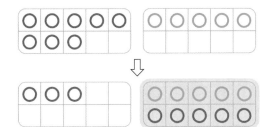

$$8+5=\boxed{}$$
$$3 \quad \boxed{}$$

3 □ 안에 알맞은 수를 써넣으세요.

(1)
$$4+9=\boxed{}$$
$$\boxed{} \quad 3$$

(2)
$$5+7=\boxed{}$$
$$2 \quad \boxed{}$$

4 빈칸에 알맞은 수를 써넣으세요.

(1)

7+4	7+5	7+6
11	12	
8+4	8+5	8+6
12		14
9+4	9+5	9+6
	14	15

(2)

4+7	4+8	4+9
11	12	
5+7	5+8	5+9
		14
6+7	6+8	6+9
13	14	15

1 10을 이용하여 **모으기와 가르기**를 하세요.

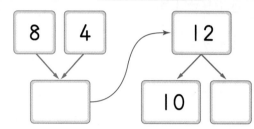

| 8 | 4 | | 12 |

| | | 10 | |

2 그림을 보고 **덧셈**을 하세요.

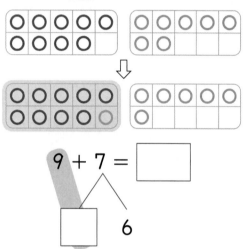

9 + 7 = ☐

6

3 ☐ 안에 **알맞은 수**를 써넣으세요.

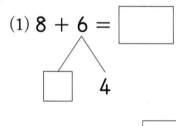

(1) 8 + 6 = ☐

☐   4

(2)   4 + 9 = ☐

3   ☐

4 **덧셈**을 하세요.

(1) 9 + 5 = ☐

(2) 8 + 8 = ☐

5 **덧셈**을 하세요.

5 + 7 = 12

6 + 7 = ☐

7 + 7 = ☐

8 + 7 = ☐

6 합이 13인 덧셈식에 ◯표 하세요.

| 9+6 | 8+6 | 5+8 |

(   ) (   ) (   )

7 계산 결과를 찾아 이으세요.

| 6+6 | · | · | 14 |

| 9+4 | · | · | 12 |

| 6+8 | · | · | 13 |

>> 정답 31쪽

8 계산 결과를 **비교**하여 ◯ 안에 >, =, < 를 알맞게 써넣으세요.

$$7+6 \bigcirc 3+9$$

중요

9 서윤이는 동화책을 어제는 5쪽 읽고, 오늘은 8쪽 읽었습니다. 서윤이가 **어제와 오늘 읽은 동화책은 모두 몇 쪽**인지 덧셈식을 쓰고 답을 구하세요.

식 _____

답 _____

10 은지가 **타일을 8개** 붙인 다음 **타일을 더 붙여** 빈칸을 모두 채웠습니다. 물음에 답하세요.

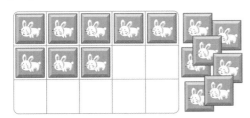

(1) 빈칸을 모두 채우려면 몇 개의 타일을 더 붙여야 할까요?

(   )

단위(개)도 써야 해요.

(2) 은지가 붙인 타일은 모두 몇 개인지 알아보세요.

$$\boxed{} + \boxed{} = \boxed{} \text{(개)}$$

11 초콜릿을 상자 한 칸에 한 개씩 담으면 초콜릿이 **몇 개 남는지** 알아보세요.

문제 해결

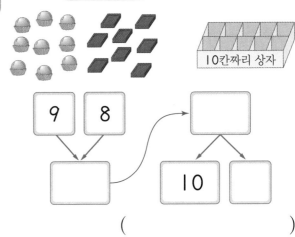

(   )

12 두 수의 **합이 작은 것부터** 차례대로 점을 이으세요.

문제 해결

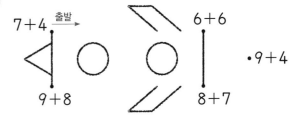

13 시아는 꺼낸 공에 적힌 두 수의 합을 준수보다 크게 하려고 합니다. **시아는 어떤 수가 적힌 공을 꺼내야** 할까요?

추론

(   )

6
덧셈과 뺄셈 ⑶

개념 ① 10이 되도록 뺀 후 계산하기

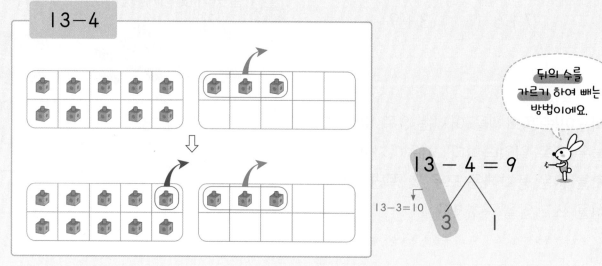

13에서 3을 먼저 빼고 남은 10에서 1을 뺍니다.

뒤의 수를 가르기 하여 빼는 방법이에요.

$13 - 4 = 9$

$13-3=10$

3   1

개념 ② 10에서 뺀 후 계산하기

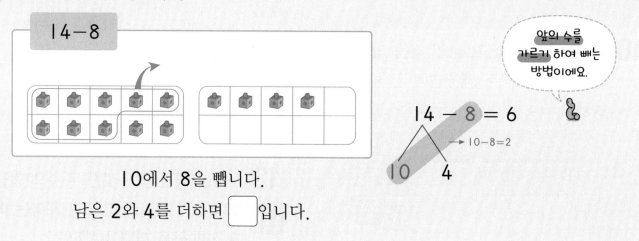

10에서 8을 뺍니다.
남은 2와 4를 더하면 ☐입니다.

앞의 수를 가르기 하여 빼는 방법이에요.

$14 - 8 = 6$

$\rightarrow 10-8=2$

10   4

9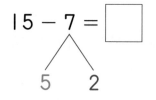

확인 ① 그림을 보고 뺄셈을 하세요.

$15 - 7 = \boxed{}$

5   2

1 그림을 보고 □ 안에 알맞은 수를 써넣으세요.

(1)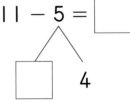

$$11 - 5 = \boxed{}$$

$$\boxed{} \quad 4$$

(2)

$$13 - 6 = \boxed{}$$

$$10 \quad \boxed{}$$

2 그림을 보고 □ 안에 알맞은 수를 써넣으세요.

$$15 - 8 = \boxed{}$$

3 뒤의 수를 가르기 하고 뺄셈을 하세요.

(1) $17 - 9 = \boxed{}$

$$7 \quad \boxed{}$$

(2) $13 - 8 = \boxed{}$

$$3 \quad \boxed{}$$

4 앞의 수를 가르기 하고 뺄셈을 하세요.

(1) $15 - 6 = \boxed{}$

$$10 \quad \boxed{}$$

(2) $12 - 7 = \boxed{}$

$$10 \quad \boxed{}$$

6

덧셈과 뺄셈 (3)

교과서 개념

동영상 강의

뺄셈하기 (3)

개념 ① 규칙이 있는 뺄셈

12	− 4 =	8
12	− 5 =	7
12	− 6 =	6
12	− 7 =	5

차는 1씩 작아집니다.

1씩 커짐

11	− 6 =	5
12	− 6 =	6
13	− 6 =	7
14	− 6 =	8

차는 ☐ 씩 커집니다.

1씩 커짐

개념 ② 차가 같은 뺄셈

13	− 5 =	8
14	− 6 =	8
15	− 7 =	8
16	− 8 =	8

차는 항상 똑같습니다.

1씩 커짐 1씩 커짐

왼쪽 수와 오른쪽 수가 각각 1씩 커지면 차는 항상 똑같아요!

확인 ① 뺄셈을 하세요.

(1)
13−6=7
13−7=☐
13−8=☐
13−9=☐

(2)
13−7=6
14−7=☐
15−7=☐
16−7=☐

(3)
13−6=7
14−7=☐
15−8=☐
16−9=☐

>> 정답 33쪽

1 □ 안에 알맞은 수를 써넣으세요.

(1)

$11-5=6$
$11-6=5$
$11-7=\boxed{}$
$11-8=\boxed{}$

11에서 $\boxed{}$씩 커지는 수를 빼면 차는 1씩 작아집니다.

(2)

$11-4=7$
$12-5=7$
$13-6=\boxed{}$
$14-7=\boxed{}$

1씩 커지는 수에서 $\boxed{}$씩 커지는 수를 빼면 차는 항상 똑같습니다.

왼쪽 수와 오른쪽 수가 모두 커지고 있어요.

2 뺄셈을 하세요.

(1)

$14-9=\boxed{}$
$15-9=\boxed{}$
$16-9=\boxed{}$

(2)

$15-7=\boxed{}$
$16-8=\boxed{}$
$17-9=\boxed{}$

3 빈칸에 알맞은 수를 써넣으세요.

(1)

$11-2$	$11-3$	$11-4$	$11-5$
9			
	$12-3$	$12-4$	$12-5$
	9	8	7
		$13-4$	$13-5$
		9	8
			$14-5$
			9

(2)

$14-5$	$14-6$	$14-7$	$14-8$
9	8	7	6
	$15-6$	$15-7$	$15-8$
		8	7
		$16-7$	$16-8$
			8
			$17-8$

6 덧셈과 뺄셈 (3)

2단계 교과서+익힘책 유형 연습

1 그림을 보고 **뺄셈**을 하세요.

$16-7=\boxed{}$

2 그림을 보고 □ 안에 **알맞은 수**를 써넣으세요.

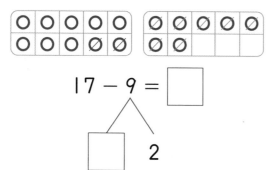

$17-9=\boxed{}$

4 □ 안에 **알맞은 수**를 써넣으세요.

(1) $14-7=\boxed{}$

$\boxed{} \quad 3$

(2) $16-9=\boxed{}$

$10 \quad \boxed{}$

5 **뺄셈**을 하세요.

(1) $15-8=\boxed{}$

(2) $12-4=\boxed{}$

3 뺄셈식에 맞게 /으로 지워 **뺄셈**을 하세요.

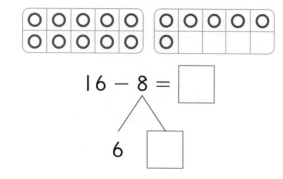

$16-8=\boxed{}$

$6 \quad \boxed{}$

6 **뺄셈**을 하세요.

$11-9=2$

$11-8=\boxed{}$

$11-7=\boxed{}$

$11-6=\boxed{}$

7 두 수의 **차가 큰 것부터 차례대로** 점을 이으세요.

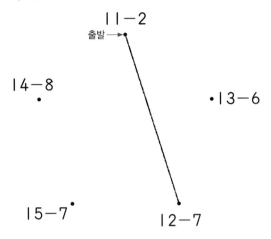

11−2
출발 →

14−8

•13−6

15−7

12−7

8 **계산 결과가 가장 큰 것**을 찾아 기호를 쓰세요.

ㄱ 11−4　　ㄴ 15−9
ㄷ 13−8　　ㄹ 12−3

(　　　　)

기호를 찾아서 쓰세요.

9 주차장에 자동차가 13대 있었습니다. 그 중 6대가 빠져나갔다면 주차장에 **남아 있는 자동차**는 몇 대인지 뺄셈식을 쓰고 답을 구하세요.

식 _____

답 _____

10 그림을 보고 알맞은 **뺄셈식**을 만드세요.

의사
소통

[　　]−[　　]=[　　]

11 카드에 적힌 두 수의 **차가 큰 사람이 이기는 놀이**를 하였습니다. **이긴 사람**은 누구일까요?

의사
소통

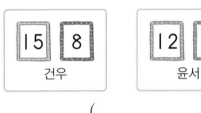

15　8
건우

12　4
윤서

(　　　　　　)

12 옆으로 **뺄셈식이 되는 세 수**를 찾아 [　]−[　]=[　] 표 하세요.

문제
해결

17	−	8	=	9	5
15		13		5	8
14		7		7	6
19		12		4	8

서술형 문제 해결

1 ❶온유는 사탕 3개와 초콜릿 9개를, ❷승현이는 사탕 6개와 초콜릿 8개를 가지고 있습니다. ❸사탕과 초콜릿 수의 합이 더 큰 사람은 누구인지 알아보세요.

온유   승현

풀이

❶ 사탕과 초콜릿을 온유는 3+9=□ (개) 가지고 있고,

❷ 승현이는 6+8=□ (개) 가지고 있습니다.

❸ □ < □ 이므로 사탕과 초콜릿 수의 합이 더 큰 사람은 □ 입니다.

답 □

2 성수와 지혜는 각각 고리를 ❶14개씩 던져 성수는 7개, ❷지혜는 9개를 기둥에 걸었습니다. ❸성수와 지혜가 기둥에 걸지 못한 고리는 모두 몇 개인지 알아보세요.

풀이

❶ 성수가 기둥에 걸지 못한 고리의 수
⇨ 14−□=□ (개)

❷ 지혜가 기둥에 걸지 못한 고리의 수
⇨ 14−□=□ (개)

❸ 성수와 지혜가 기둥에 걸지 못한 고리의 수의 합
⇨ □+□=□ (개)

답 □ 개

3 일주일 동안 우유를 지혜의 아빠는 11컵 마셨고 **지혜는 아빠보다 4컵 더 적게 마셨습니다. 아빠와 지혜가 마신 우유는 모두 몇 컵인지 알아보세요.**

풀이

❶ 아빠가 마신 우유는 11컵이고,

지혜가 마신 우유는 11 − ☐ = ☐ (컵)입니다.

❷ 따라서 두 사람이 마신 우유는 모두

☐ + ☐ = ☐ (컵)입니다.

답 ☐ 컵

 4 공책을 혜민이는 12권 가지고 있고 안나는 혜민이보다 6권 더 적게 가지고 있습니다. 혜민이와 안나가 가지고 있는 공책은 모두 몇 권인지 풀이 과정을 쓰고 답을 구하세요.

풀이

❶ _____

_____

❷ _____

_____

답 _____

6
덧셈과 뺄셈 (3)

1 10을 이용하여 모으기와 가르기를 하세요.

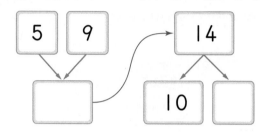

2 그림을 보고 덧셈을 하세요.

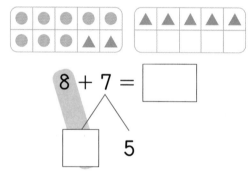

$$8 + 7 = \boxed{}$$

5

3 계산을 하세요.

(1) $7 + 9 = \boxed{}$

(2) $15 - 6 = \boxed{}$

4 차가 6인 뺄셈식을 모두 찾아 ○표 하세요

$14 - 8$	$16 - 9$
( )	( )
$15 - 7$	$12 - 6$
( )	( )

5 빈칸에 알맞은 수를 써넣으세요.

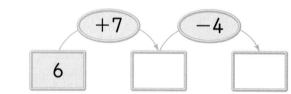

| 6 | $+7$ | $\boxed{}$ | -4 | $\boxed{}$ |

6 빈칸에 알맞은 수를 써넣으세요.

$13-6$	$13-7$	$13-8$	$13-9$
7	6	5	4
	$14-7$	$14-8$	$14-9$
		6	5
		$15-8$	$15-9$
			6
			$16-9$

7 수 카드 중 3장을 골라 □ 안에 써넣어 덧셈식을 완성하세요.

6	7	8	15

□ + □ = □

8 세희는 문제집을 아침에는 5쪽, 저녁에는 8쪽 풀었습니다. 세희가 아침과 저녁에 푼 문제집은 모두 몇 쪽일까요?

아침에는 5쪽, 저녁에는 8쪽 풀었어.

세희

(   )

9 구슬을 하정이는 14개 가지고 있고, 진수는 8개 가지고 있습니다. 하정이는 진수보다 구슬을 몇 개 더 가지고 있을까요?

(   )

서술형 문제

10 성중이는 딸기 7개와 바나나 6개를 먹었고, 유진이는 딸기 9개와 바나나 5개를 먹었습니다. 먹은 과일 수의 합이 누가 더 큰지 풀이 과정을 쓰고 답을 구하세요.

풀이 _____

_____

_____

_____

답 _____

6
덧셈과 뺄셈 (3)

단원평가 6. 덧셈과 뺄셈 (3)

점수

1 그림을 보고 뺄셈을 하세요.

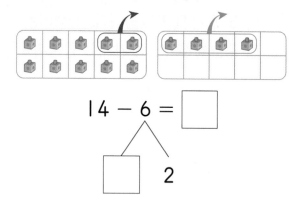

$$14 - 6 = \boxed{}$$

$$\boxed{} \qquad 2$$

2 □ 안에 알맞은 수를 써넣으세요.

(1) $8 + 6 = \boxed{}$

$$\boxed{} \qquad 4$$

(2) $14 - 8 = \boxed{}$

$$10 \qquad \boxed{}$$

3 □ 안에 알맞은 수를 써넣으세요.

$$15 - 6 = 9$$
$$16 - 7 = \boxed{}$$
$$17 - 8 = \boxed{}$$

4 계산 결과를 찾아 이으세요.

$8+5$ ·	· 11
$7+4$ ·	· 12
$9+3$ ·	· 13

5 계산 결과를 비교하여 ○ 안에 >, =, < 를 알맞게 써넣으세요.

$$13 - 4 \; \bigcirc \; 15 - 7$$

6 같은 색의 나비끼리 합을 구하여 나비와 같은 색의 꽃에 써넣으세요.

7 두 수의 합을 구한 뒤 그 합에 해당하는 글자를 **보기**에서 찾아 쓰세요.

• 보기 •

13	14	15	16	17	18
빵	림	단	크	팥	떡

$7+8=$ ⬜ ⇨ _____

$9+8=$ ⬜ ⇨ _____

$4+9=$ ⬜ ⇨ _____

8 준이가 9개의 타일을 붙였습니다. 빈칸을 모두 채우려면 몇 개의 타일을 더 붙여야 하는지 구하고, 타일은 모두 몇 개인지 구하는 덧셈식을 쓰세요.

더 붙여야 하는 타일 (   )

덧셈식 _____

서술형 문제

9 별 모양 쿠키가 14개, 달 모양 쿠키가 6개 있습니다. 별 모양 쿠키는 달 모양 쿠키보다 몇 개 더 많은지 풀이 과정을 쓰고 답을 구하세요.

풀이 _____

_____

_____

_____

답 _____

10 다음 조건을 만족하는 ■, ▲, ● 중 가장 큰 수와 가장 작은 수의 차를 구하세요.

$$4+8=■$$
$$■-7=▲$$
$$▲+6=●$$

(   )

6

덧셈과 뺄셈 (3)

문제 생성기

단원평가 **20문항** 제공

창의융합 + 실력UP

동영상 학습

1 길을 따라 도착한 곳에 보물 상자가 있습니다. 진수가 지나간 칸에 모두 발자국 붙임딱지를 붙이고, 보물 상자가 있는 곳에는 보물 상자 붙임딱지를 붙이세요. 붙임딱지 사용

> 오른쪽으로 (11-9)칸 ⇨ 아래쪽으로 (11-8)칸
> ⇨ 오른쪽으로 (13-8)칸 ⇨ 아래쪽으로 (10-8)칸

2 계산 결과가 쓰여 있는 붙임딱지를 붙여 크리스마스 트리를 꾸미세요.

붙임딱지 사용

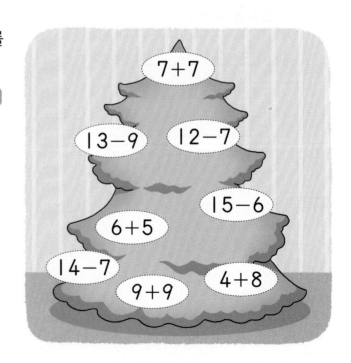

3 두 물고기에 쓰여 있는 수의 합이 배에 쓰여 있는 수가 되도록 알맞은 물고기 붙임 딱지를 그물에 붙이세요. 붙임딱지 사용

4 개구리 **7**마리와 다람쥐 **9**마리가 겨울잠을 자기 위해 땅 속에 굴을 팠습니다. 겨울 잠을 잘 준비를 하는 동물들은 모두 몇 마리인지 덧셈식을 쓰고 답을 구하세요.

식  _____

답 _____

6

덧셈과 뺄셈 (3)

>> 정답 36쪽

덧셈 또는 뺄셈을 하여 미로를 통과해 보세요.

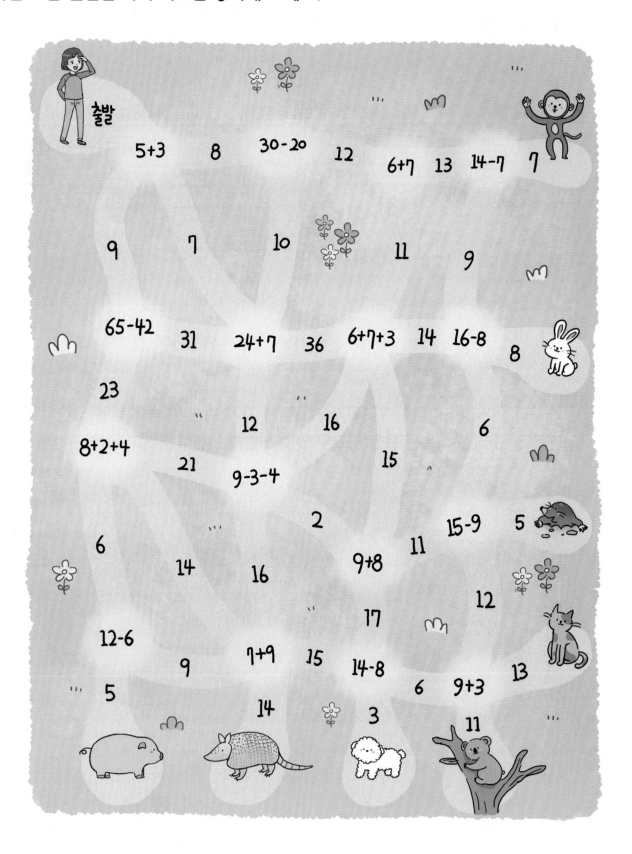

홈스쿨링
우등생

꼭 알아야 하는 개념을 붙임딱지 로 쉽게! 재미있게!

#교구재 활용법
수학1·2

여러 가지 모양 만들기
규칙 만들기

떼었다 붙였다 할 수 있는 붙임딱지를 이용하여
여러 가지 모양을 완성하고 자신만의 무늬를
만들어 보세요.

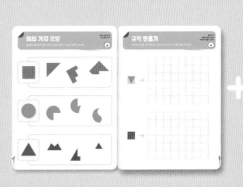 +

모으기를 이용하여 덧셈하기
가르기를 이용하여 뺄셈하기

떼었다 붙였다 할 수 있는 붙임딱지를 이용하여
수 모으기와 가르기를 하고, 식을 완성해 보세요.

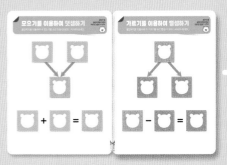 +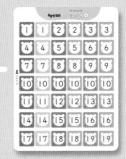

창의 · 융합+실력 UP

붙임딱지를 이용하여 재미있게
창의·융합+실력UP 문제를 풀어 보세요.

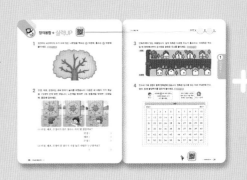 +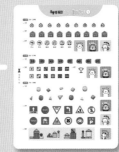

틀린 그림 찾기

아래 그림에는 위와 다른 부분이 여덟 군데 있어요. 어디인지 찾아보세요.

평가자문

수학 1·2

사고력 평가 문제 | 실력+서술형 문제

천재교육

GENIE FRIENDS®

미미 #천소리쟁 #꼬리더 #메인하지만 정의로워

평가 자료집
포인트 2가지

▶ 교과서에서 접하지 못했던 다양한 교과 사고력 문제 연습

▶ 실력+서술형 문제로 각종 시험 대비 및 문제 해결 연습

평가 자료집

수학 1-2

사고력 평가

1. 100까지의 수

혜은이와 친구들은 영화를 보기 위해 극장에 갔습니다. 영화 입장권을 보고 혜은이와 친구들이 앉아야 하는 자리에 이름을 써넣으세요. (1~6)

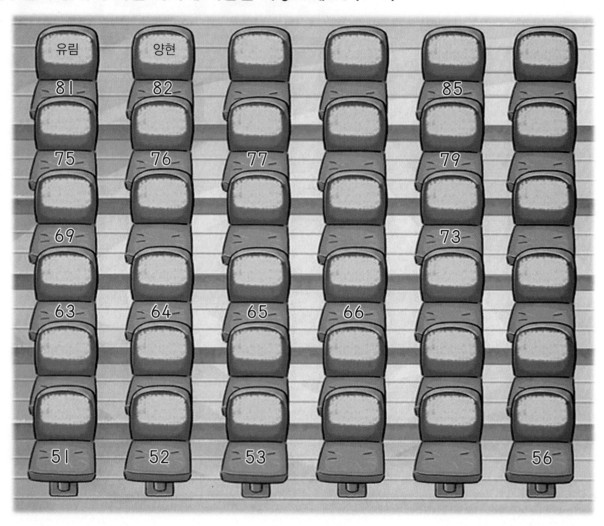

1 혜은이의 영화 입장권

영화 관람 좌석 번호
67

2 민수의 영화 입장권

영화 관람 좌석 번호
70과 72 사이에 있는 수

3 정은이의 영화 입장권

영화 관람 좌석 번호
84보다 1만큼 더 작은 수

4 소희의 영화 입장권

영화 관람 좌석 번호
83보다 큰 홀수

5 현석이의 영화 입장권

영화 관람 좌석 번호
53과 57 사이에 있는 홀수

6 영호의 영화 입장권

영화 관람 좌석 번호
10개씩 묶음이 7개인 수

다음 수 카드 5장 중 2장을 골라 만들 수 있는 두 자리 수의 개수를 알아보려고 합니다. 빈 곳에 알맞은 수를 써넣으세요. (7~12)

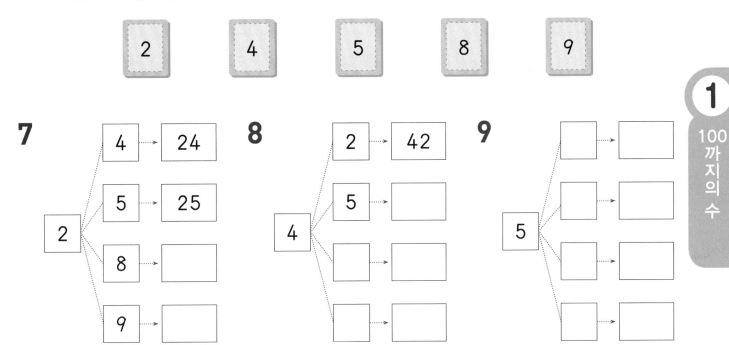

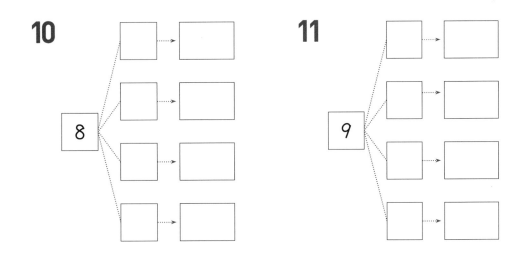

12 만들 수 있는 두 자리 수는 모두 ☐ 개입니다.

들어 있는 동전의 금액이 가장 큰 돼지 저금통에 ○표, 가장 작은 돼지 저금통에 △표 하세요. (13~15)

13

14

15

1 귤을 한 봉지에 10개씩 담으려면 봉지는 모두 몇 개 필요할까요?

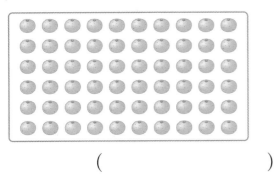

( )

2 빈 곳에 알맞은 수를 두 가지 방법으로 읽으세요.

| 95 | 96 | 97 | 98 | |

(,)

3 수의 순서를 거꾸로 세어 빈 곳에 알맞은 수를 써넣으세요.

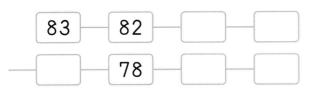

4 왼쪽 수보다 1만큼 더 큰 수에 ○표 하세요.

73 — 70 72 74 76

5 큰 수부터 차례로 기호를 쓰세요.

㉠ 72보다 10만큼 더 큰 수
㉡ 86보다 10만큼 더 작은 수
㉢ 10개씩 묶음 7개와 낱개 8개인 수

( )

6 100이 아닌 수를 찾아 기호를 쓰세요.

㉠ 99 다음의 수
㉡ 90보다 1만큼 더 큰 수
㉢ 90보다 10만큼 더 큰 수
㉣ 10개씩 묶음이 10개인 수

( )

7 4개의 수 중에서 2개를 사용하여 몇십몇을 만들었을 때, 더 큰 수를 만든 사람이 이기는 놀이를 하였습니다. 세진이가 94를 만들어 태민이에게 졌다면 태민이가 만든 몇십몇은 얼마일까요?

4	9	2	8

(   )

서술형 문제

8 색종이를 소영이는 10장씩 묶음 7개와 낱개로 6장을 가지고 있고, 고은이는 10장씩 묶음 8개와 낱개로 4장을 가지고 있습니다. 누가 색종이를 더 많이 가지고 있는지 풀이 과정을 쓰고 답을 구하세요.

풀이 _____

_____

_____

_____

_____

답 _____

9 친구들과 선생님이 50부터 100까지 적힌 카드를 한 장씩 뽑았습니다. 선생님이 뽑은 카드의 수보다 더 큰 수가 적힌 카드를 뽑은 사람은 초콜릿을 받는다고 할 때, 초콜릿을 받는 사람의 이름을 모두 쓰세요.

선생님	희수	세민	초희	남주	보라
64	75	98	57	92	63

(   )

서술형 문제

10 다음에서 설명하는 수는 어떤 수인지 풀이 과정을 쓰고 답을 구하세요.

> • 65보다 크고 72보다 작습니다.
> • 10개씩 묶음의 수가 낱개의 수보다 큽니다.
> • 짝수입니다.

풀이 _____

_____

_____

_____

답 _____

● ● 정답 38쪽

🦴 과녁에 화살을 던져서 맞힌 두 수의 합을 구하세요. (1~6)

1

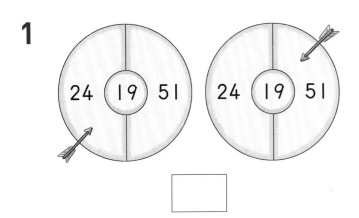

2

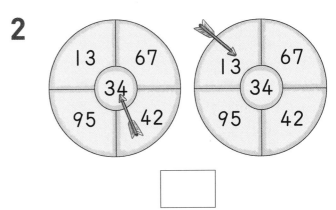

3

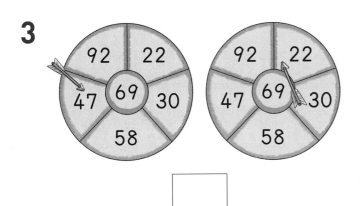

4

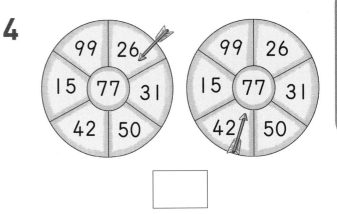

5

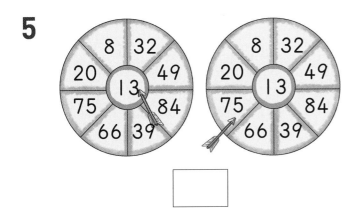

6

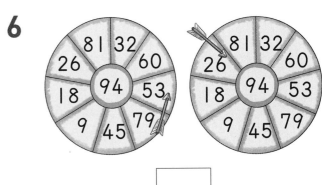

사고력 평가

가로의 세 수를 차례로 놓고 ■-■=■ 모양의 **뺄셈식**을 만들 수 있는 것을 모두 찾아 ◯표 하세요. (단, 순서를 바꿀 수 없습니다.) (7~12)

7

→ 27-23=4

(27	23	4)	21	38	80
14	13	62	84	20	76
12	59	26	33	12	20
9	65	73	31	32	13
15	45	54	81	10	71
26	21	12	36	11	24

8

33	21	24	12	12	97
12	10	2	50	40	38
37	29	69	34	38	25
35	14	37	22	12	11
11	16	23	48	20	21
88	74	15	75	12	63

9

89	35	81	30	45	37
42	24	13	11	26	20
46	15	35	24	13	12
88	74	22	19	17	2
32	21	10	11	14	24
15	39	17	38	23	13

10

56	45	14	31	86	25
46	26	8	16	90	61
39	9	20	72	51	37
12	89	37	52	30	28
46	16	39	18	20	6
76	25	51	10	11	90

11

36	54	79	62	22	45
27	33	24	57	32	25
8	21	46	32	31	10
29	13	3	10	16	14
11	86	44	20	10	22
14	50	84	53	31	12

12

37	83	22	60	20	40
33	74	3	77	16	49
36	12	24	98	27	31
16	54	43	12	55	19
21	48	17	3	14	30
19	10	8	4	40	73

규칙을 찾아 빈 곳에 알맞은 수를 써넣으세요. (13~24)

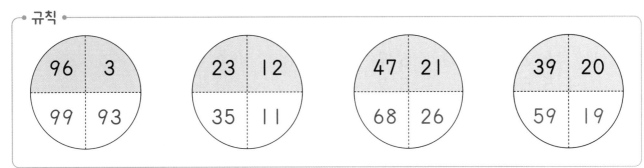

13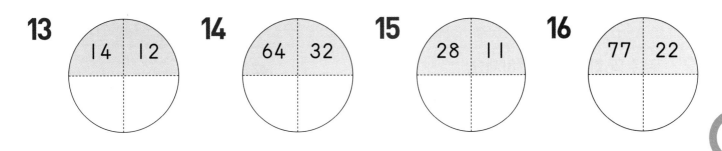

14

15

16

17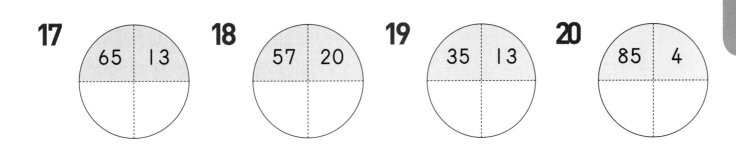

18

19

20

21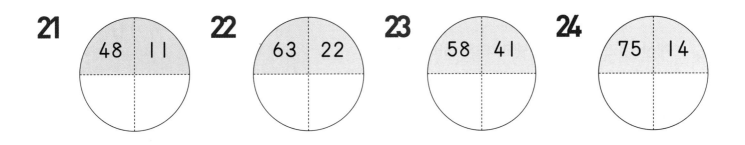

22

23

24

2
덧
셈
과
뺄
셈
(1)

1 계산을 하세요.

(1)
```
   4 3
 + 5 5
```

(2)
```
   6 9
 - 5 2
```

2 두 수의 합과 차를 구하세요.

74   13

합 (   )

차 (   )

3 계산 결과를 비교하여 ○ 안에 >, =, < 를 알맞게 써넣으세요.

50+42 ○ 32+61

4 계산 결과가 나머지 넷과 <u>다른</u> 하나는 어느 것일까요? (   )

① 80-20   ② 20+40
③ 70-10   ④ 30+30
⑤ 90-40

5 보기와 같은 규칙으로 ◇ 안에 알맞은 수를 써넣으세요.

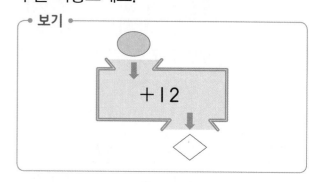
보기

+12

(1) 71 ⇨ ◇

(2) 63 ⇨ ◇

6 성훈이가 구슬 모으기 게임에서 세운 기록입니다. 빨간색과 파란색 구슬 중에서 어떤 색 구슬을 몇 개 더 많이 모았는지 구하세요.

야호! 최고 기록이야!

성훈

GAME OVER
구슬 모으기
●→38개   최고기록
●→34개

(   ), (   )

7 ●가 24일 때 ★의 값은 얼마인지 구하세요.

( )

8 차가 35가 되는 두 수를 찾아 뺄셈식을 완성하세요.

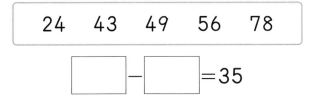

□ - □ = 35

9 동화책을 현수는 42쪽 읽었고 민지는 현수보다 4쪽 더 많이 읽었습니다. 현수와 민지가 읽은 동화책은 모두 몇 쪽인지 풀이 과정을 쓰고 답을 구하세요.

풀이 _____

_____

답 _____

10 5장의 수 카드 중 2장을 뽑아 만들 수 있는 몇십몇 중에서 가장 큰 수와 가장 작은 수의 차는 얼마인지 풀이 과정을 쓰고 답을 구하세요.

2   5   6   8   9

풀이 _____

_____

_____

답 _____

11 색종이가 15장 있었습니다. 그중에서 12장을 사용하고 친구에게 몇 장을 받았더니 35장이 되었습니다. 친구에게 받은 색종이는 몇 장일까요?

( )

12 1부터 9까지의 수 중에서 □ 안에 들어갈 수 있는 수는 모두 몇 개일까요?

$$29 < □5 - 31$$

( )

사고력 평가

3. 여러 가지 모양

알맞은 물건이나 모양에 ○표 하세요. (1~4)

1 모양이 같은 물건

2 물건을 본떠서 나온 모양

3 설명에 알맞은 모양

뾰족한 곳이 세 군데 있어요.	■ ▲ ●
뾰족한 곳이 네 군데 있어요.	■ ▲ ●
뾰족한 곳이 한 군데도 없어요.	■ ▲ ●

4 모양의 부분을 보고 알맞은 모양에 모두 ○표

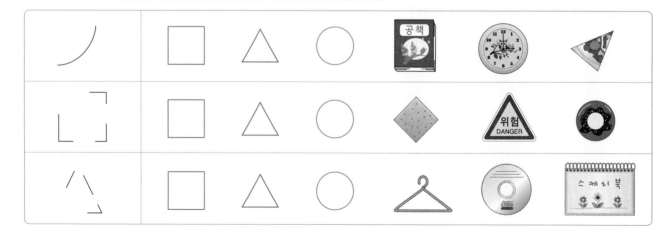

국기에서 찾을 수 <u>없는</u> 모양에 모두 ◯표 하세요. (5~13)

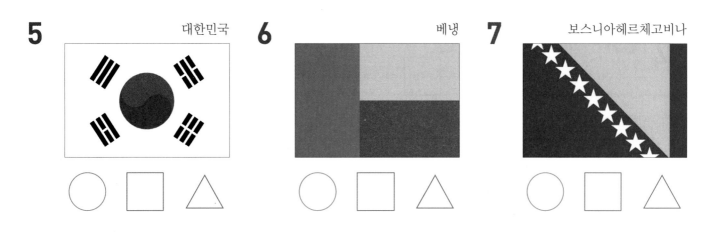

5 대한민국
◯ □ △

6 베냉
◯ □ △

7 보스니아헤르체고비나
◯ □ △

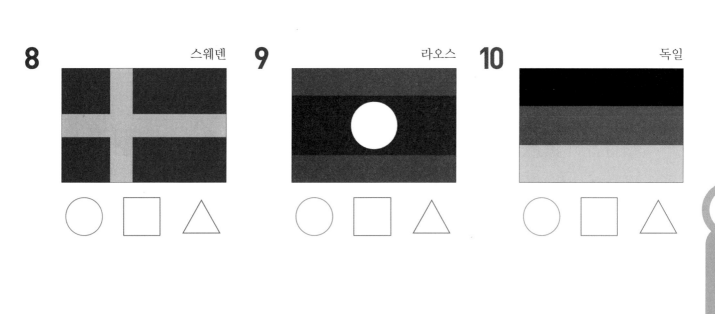

8 스웨덴
◯ □ △

9 라오스
◯ □ △

10 독일
◯ □ △

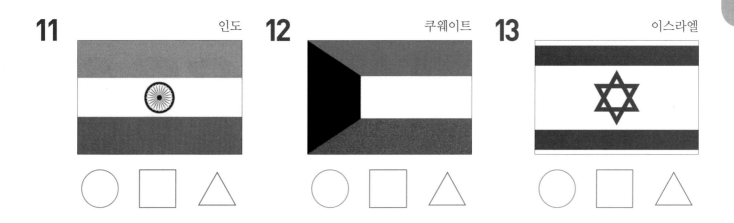

11 인도
◯ □ △

12 쿠웨이트
◯ □ △

13 이스라엘
◯ □ △

물건을 종이 위에 대고 본떴을 때 나오는 모양을 보고 물건을 찾으려고 합니다. 본뜬 모양 순서대로 ⇨ 또는 ⇩ 방향으로 이동하여 찾게 되는 물건에 모두 ○표 하세요. (14~19)

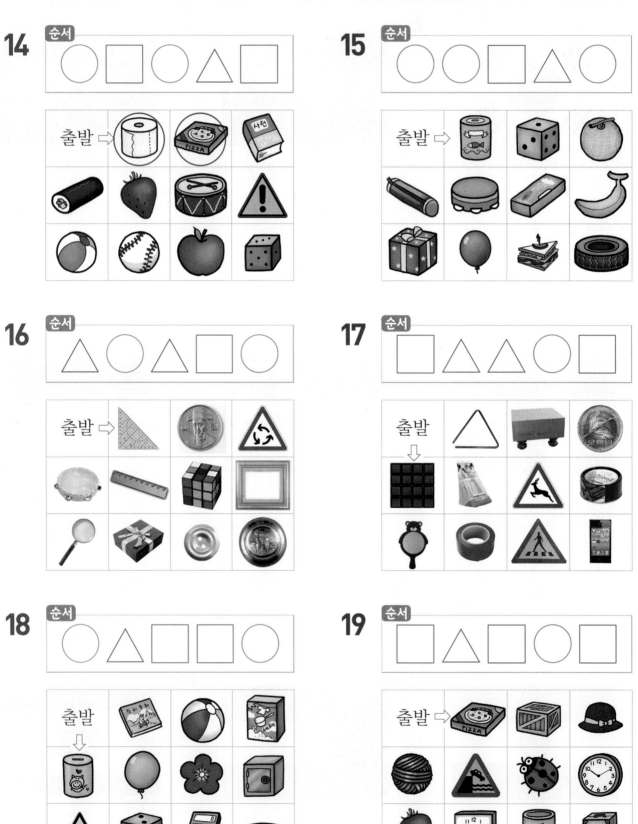

실력 + 서술형 문제

1 물건을 종이 위에 대고 본뜨면 어떤 모양이 되는지 찾아 선으로 이으세요.

 ·

 ·

· △

· ○

· ▭

2 그림에서 △ 모양을 모두 찾아 색칠하세요.

3 그림처럼 오이를 썰었을 때 나타나는 모양을 그리세요.

 모양

4 ▭, △, ○ 모양 중에서 다음 국기에서 찾을 수 없는 모양을 그리세요.

모양

그림을 보고 물음에 답하세요. (5~6)

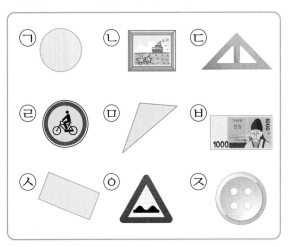

5 뾰족한 부분이 4군데 있는 모양을 모두 찾아 기호를 쓰세요.

( )

6 다음 물건의 모양과 같은 모양인 물건을 모두 찾아 기호를 쓰세요.

( )

7  모양을 본뜬 것의 일부분입니다. 모양을 완성하세요.

8 다음에서 설명하는 모양인 물건을 주변에서 찾아 이름을 쓰세요.

> • 반듯한 선으로 되어 있습니다.
> • 뾰족한 부분이 **3**군데 있습니다.

(   )

9 오른쪽 모양을 보고 설명한 것입니다. 사용한 모양을 이용하여 빈칸에 알맞은 모양을 그리거나 알맞은 수를 써넣으세요.

□ 모양은 □ 모양보다 □ 개 더 많이 찾을 수 있습니다.

10 그림과 같이 색종이를 **2**번 접어 파란색 선을 따라 오리면 뾰족한 부분이 **3**군데 있는 모양이 몇 개 생기는지 풀이 과정을 쓰고 답을 구하세요.

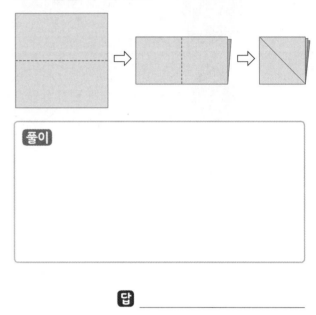

풀이

답 _____

11 과자로 만든 두 모양을 보면 공통으로 사용한 모양이 있습니다. 공통으로 사용한 모양은 어떤 모양이고 두 모양에서 모두 몇 개 사용했는지 풀이 과정을 쓰고 답을 구하세요.

풀이 _____

_____

_____

답 _____ , _____

학생들과 강아지들이 모래 체험 놀이를 하고 있습니다. 서 있는 학생은 몇 명이고, 강아지는 몇 마리인지 □ 안에 알맞은 수를 써넣으세요. (단, 학생과 강아지는 모든 발을 모래에 놓고 있습니다.) (1~4)

1 [가 모래 체험장] 학생: ☐ 명,

강아지: ☐ 마리

2 [나 모래 체험장] 학생: ☐ 명,

강아지: ☐ 마리

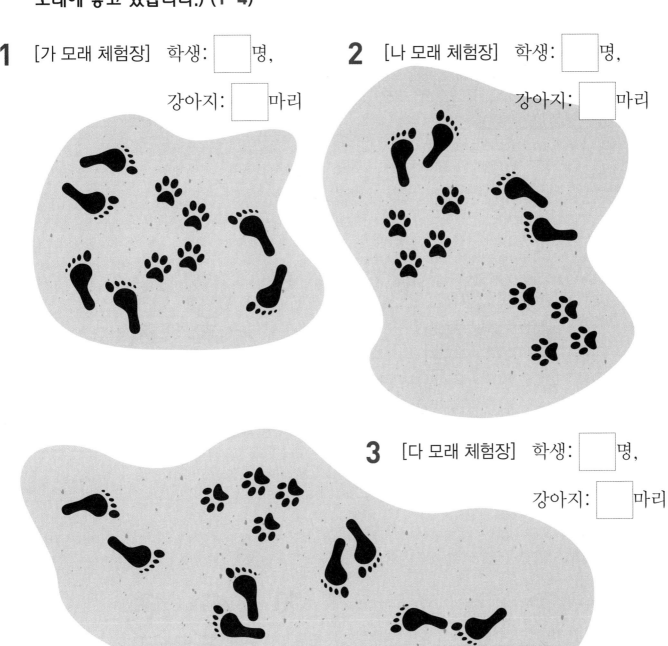

3 [다 모래 체험장] 학생: ☐ 명,

강아지: ☐ 마리

4 [가, 나, 다 모래 체험장]

학생: ☐ + ☐ + ☐ = ☐ (명), 강아지: ☐ + ☐ + ☐ = ☐ (마리)

넣은 구슬에 쓰인 두 수의 합이 나오도록 구슬 위에 알맞은 수를 써넣으세요. (5~10)

5

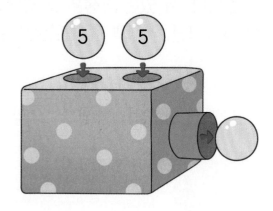

6

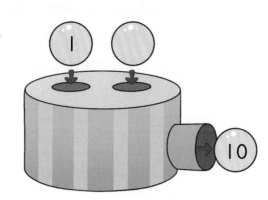

7

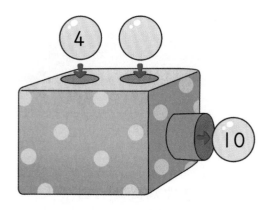

8

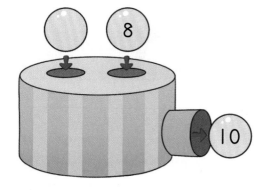

9

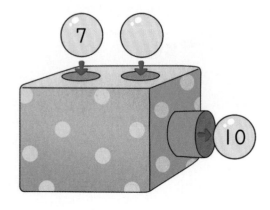

10

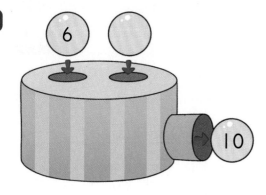

접고 있는 손가락은 몇 개인지 **뺄셈식**을 쓰고 답을 구하세요. (11~18)

11

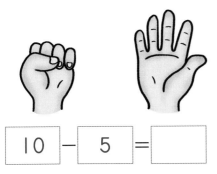

10	−	5	=	

12

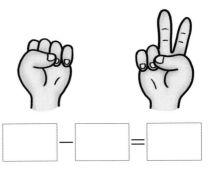

	−		=	

13

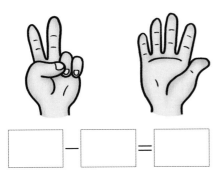

	−		=	

14

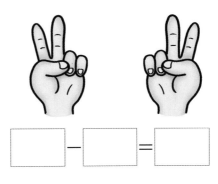

	−		=	

15

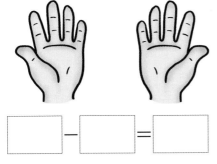

	−		=	

16

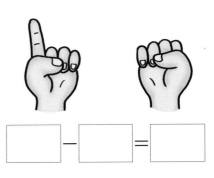

	−		=	

17

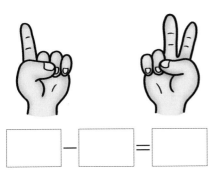

	−		=	

18

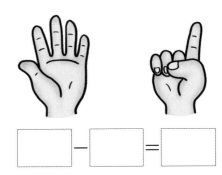

	−		=	

실력 ➕ 서술형 문제

🎗️ □ 안에 알맞은 수를 써넣으세요. (1~2)

1 9-4-3= □

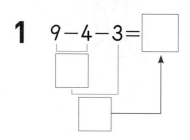

2 4+1+9= □

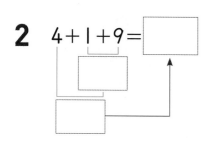

3 계산 결과가 작은 것부터 차례로 기호를 쓰세요.

> ㉠ 8+2+3　　㉡ 5+5+5
> ㉢ 2+9+1　　㉣ 4+3+7

(　　　　　　　　)

4 밑줄 친 두 수의 합이 10이 되도록 ○ 안에 알맞은 수를 써넣고 식을 완성하세요.

(1) 5+3+○ = □

(2) 4+○+8 = □

5 계산 결과가 같은 것끼리 이으세요.

5+8	•		•	5+7
7+3	•		•	8+5
9+6	•		•	3+7
7+5	•		•	6+9

6 민영이네 농장에서는 토끼 8마리와 염소 7마리를 기르고 있었습니다. 아버지께서 돼지 3마리를 더 사 오셨습니다. 가축은 모두 몇 마리가 되었을까요?

(　　　　　　　　)

서술형 문제

7 1부터 9까지의 수 중에서 □ 안에 들어갈 수 있는 수는 모두 몇 개인지 풀이 과정을 쓰고 답을 구하세요.

> □<9-2-4

풀이 _____

_____

_____

답 _____

8 어떤 수에서 4를 빼야 할 것을 잘못하여 더하였더니 10이 되었습니다. 바르게 계산하면 얼마일까요?

(   )

9 수 카드에서 알맞은 수를 ☐ 안에 써넣어 식을 완성하세요.

| 1 | 3 | 5 | 6 | 8 |

☐ − 3 − ☐ = 4

10 일주일 동안 동화책을 희진이는 10권 읽었고, 화평이는 희진이보다 5권 더 적게 읽었습니다. 희진이와 화평이가 일주일 동안 읽은 동화책은 모두 몇 권일까요?

(   )

11 민수와 영호가 3일 동안 접은 종이학의 수입니다. 누가 종이학을 몇 마리 더 많이 접었을까요?

	첫째 날	둘째 날	셋째 날
민수	6마리	7마리	4마리
영호	8마리	1마리	9마리

(   ), (   )

12 같은 모양은 같은 수를 나타냅니다. ◆의 값을 구하세요.

2+8=■
■−4=●
●+4+3=◆

(   )

서술형 문제

13 색종이가 10장 있습니다. 그중에서 3장을 사용하고, 몇 장을 친구에게 주었더니 2장이 남았습니다. 친구에게 준 색종이는 몇 장인지 풀이 과정을 쓰고 답을 구하세요.

풀이 _____

_____

_____

답 _____

여러 나라에서 새해를 맞이하고 있습니다. 우리나라에서는 30분만 더 있으면 새해예요. 그런데 우리나라보다 새해가 일찍 찾아오는 나라와 늦게 찾아오는 나라가 있다고 합니다. 우리나라의 서울이 12월 31일 오후 11시 30분일 때, 다른 나라의 도시는 몇 시인지 □ 안에 알맞은 수를 써넣으세요. (1~6)

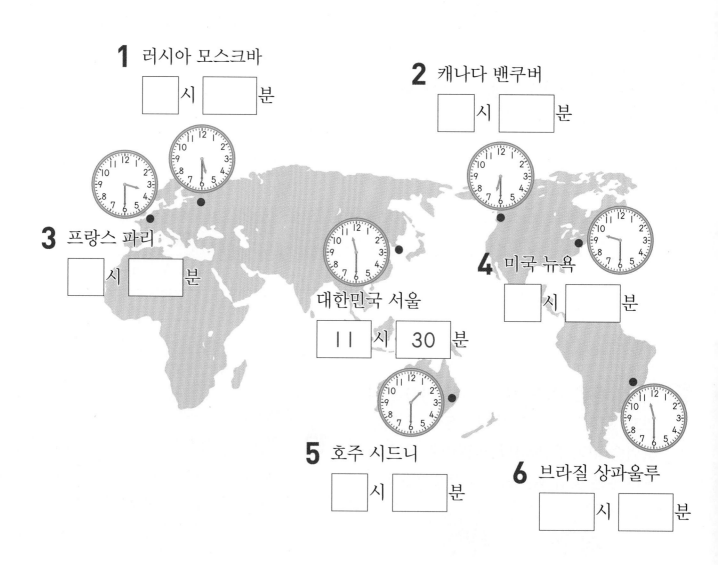

1 러시아 모스크바
□ 시 □ 분

2 캐나다 밴쿠버
□ 시 □ 분

3 프랑스 파리
□ 시 □ 분

대한민국 서울
11 시 30 분

4 미국 뉴욕
□ 시 □ 분

5 호주 시드니
□ 시 □ 분

6 브라질 상파울루
□ 시 □ 분

호주 시드니만 우리나라보다 새해가 일찍 찾아와요.

서울과 상파울로는 시각이 같지만 서울은 밤이고 상파울루는 낮이에요.

시간이 흐른 순서에 맞게 시계를 선으로 이으세요. (7~10)

7 3시 → 4시 → 5시 → 6시 → 7시 → 8시

8 10시 → 11시 → 12시 → 1시 → 2시 → 3시

9

현주의 일일 계획표
8시: 기상
→ 9시: 아침 식사
→ 10시: 수학 공부
→ 11시: 자유 시간
→ 12시: 점심 식사
→ 1시: 독서

10

근호의 외출 계획표
11시: 집에서 출발
→ 12시: 축구장 도착 및 점심 식사
→ 1시: 축구 연습
→ 2시: 간식 시간
→ 3시: 축구 시합
→ 4시: 집으로 출발

규칙을 여러 가지 방법으로 나타내고, ? 안에 알맞은 그림을 찾아 ○표 하세요. (11~14)

11

4	2	4	2				

12

오	오	왼					

13

□	○	○					

14
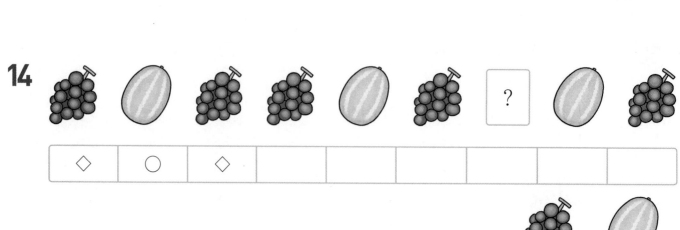

◇	○	◇					

1 규칙에 따라 색칠하려고 합니다. 빈 곳에 알맞은 색깔은 무엇일까요?

(   )

2 그림을 보고 문장을 완성하세요.

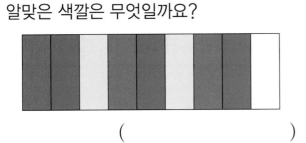

두 사람이 식물원 앞에서 만난 시각은 ☐ 시 ☐ 분입니다.

3 보기와 같은 규칙으로 빈칸에 알맞은 모양을 그리세요.

┌─ 보기 ─

○	△	□					

4 ☐ 안에 알맞은 수를 써넣으세요.

시계의 짧은바늘이 ☐ 와 ☐ 사이, 긴바늘이 ☐ 을 가리키면 9 시 30분입니다.

수 배열표를 보고 물음에 답하세요. (5~6)

12	13	14	15	16	17	18	19
20	21	22	23	24	25	26	27
28	29	30	31	32	33	34	35
36	37	38	39	40	41	42	43
44	45	46	47	48	49	50	51

5 노란색으로 색칠한 수에는 어떤 규칙이 있는지 쓰세요.

_____

_____

6 하늘색으로 색칠한 수에는 어떤 규칙이 있는지 쓰세요.

_____

_____

7 다음은 거울에 비친 시계의 모습입니다. 시계가 나타내는 시각은 몇 시 몇 분일까요?

(   )

8 ㉠, ㉡, ㉢, ㉣ 중 낱개의 수가 두 번째로 큰 수를 찾아 기호를 쓰세요.

31	32				㉠
		44		㉡	49
	52	㉢	55		60
61			67	㉣	

(   )

9 <u>추론</u>
수 배열표의 일부분이 찢어졌습니다. ♥에 알맞은 수는 얼마일까요?

48	49		51	52
55	56		58	59
			♥	
		70		

(   )

10 다음이 설명하는 시각을 쓰세요.

- 7시와 9시 사이의 시각입니다.
- 8시보다 늦은 시각입니다.
- 긴바늘이 6을 가리킵니다.

(   )

서술형 문제

11 하루 동안 진수에게 있었던 일입니다. 일이 일어난 순서를 알아보고 차례대로 기호를 쓰려고 합니다. 풀이 과정을 쓰고 답을 구하세요.

가   진수는 꿈나라로!

나

다

라   맛있는 저녁 시간!

풀이 _____

_____

_____

답 _____

6. 덧셈과 뺄셈 (3)

●● 정답 43쪽

각 숫자를 만들기 위해 필요한 성냥개비는 다음과 같습니다. 각 식에서 성냥개비를 Ⅰ개씩 더 그려 넣어 올바른 식을 만드세요. (1~8)

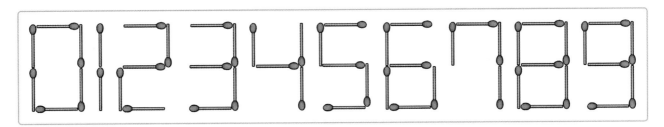

1 7+9=15

2 14-8=5

3 0+5=13

4 5+9=18

5 16-5=7

6 15-7=9

7 3+8=17

8 15-8=8

두 물건의 무게의 합을 저울의 빈 곳에 알맞게 써넣으세요. (9~14)

9

10

11

12

13

14

빈 곳에 알맞은 수를 써넣어 덧셈식과 뺄셈식을 완성하세요. (15~18)

① ⊕ 는 ◯와 ◯의 수를 더해서 합을 ◯에 씁니다.
② ▲ 는 ◯의 수에서 ◯의 수를 뺀 차를 ◯에 씁니다.
③ 이러한 방법으로 빈칸이 없도록 완성합니다.

15
16
17
18

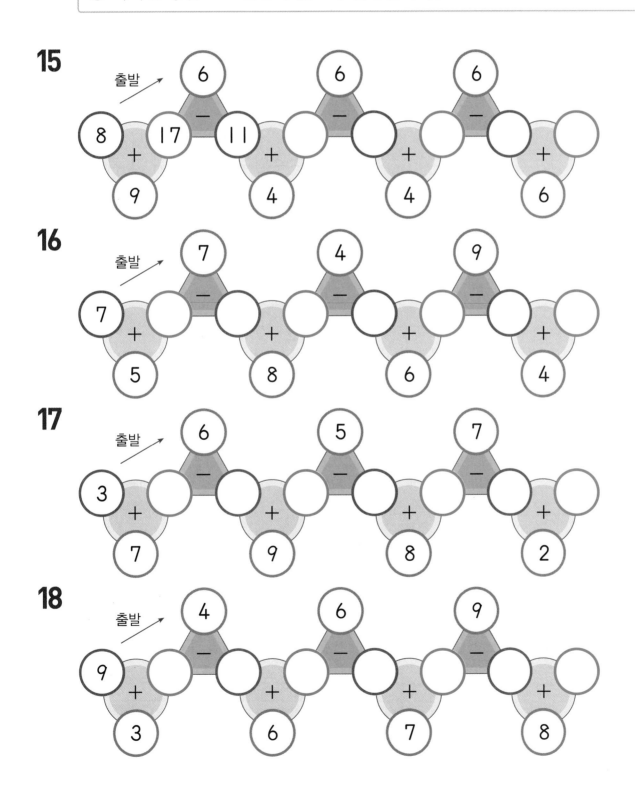

실력 ➕ 서술형 문제

1 10을 이용하여 모으기와 가르기를 하세요.

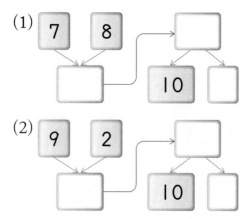

(1) 7 8 → □ → 10 □

(2) 9 2 → □ → 10 □

2 합이 13인 덧셈식을 모두 찾아 ○표 하세요.

8+5	6+6
( )	( )

7+5	9+4
( )	( )

3 빈칸에 알맞은 수를 써넣으세요.

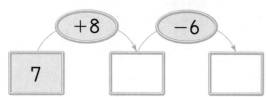

7 ─+8→ □ ─−6→ □

4 계산 결과가 큰 것부터 차례로 기호를 쓰세요.

㉠ 6+7	㉡ 8+9
㉢ 7+8	㉣ 6+6

( )

5 두 수의 차를 구한 뒤 그 차에 해당하는 글자를 **보기**에서 찾아 쓰세요.

• 보기 •

3	4	5	6	7	8
냉	밥	비	초	면	빔

12−7=□ ⇨ _____

16−8=□ ⇨ _____

13−9=□ ⇨ _____

6 색종이를 환희는 14장 가지고 있고, 준희는 8장 가지고 있습니다. 환희는 준희보다 색종이를 몇 장 더 많이 가지고 있는지 식을 쓰고 답을 구하세요.

식 _____

답 _____

7 계산 결과가 작은 것부터 차례대로 점을 이으세요.

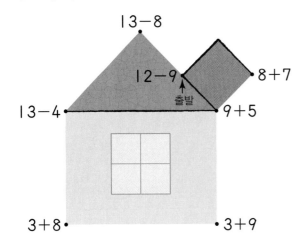

8 규칙을 찾아 ㉠과 ㉡에 들어갈 수의 차를 구하세요.

3	6	㉠	12	15	㉡

(   )

서술형 문제

9 유진이는 우유를 지난주에 5병 마셨고, 이번 주에 7병 마셨습니다. 다음 주에는 지난주와 이번 주에 마신 우유의 합보다 6병 적게 마시려고 합니다. 다음 주에 마시게 될 우유는 몇 병인지 풀이 과정을 쓰고 답을 구하세요.

풀이 _____

_____

_____

답 _____

10 1부터 9까지의 수 중에서 □ 안에 들어갈 수 있는 가장 큰 수를 구하세요.

$$38-25>9+\square$$

(   )

11 수 카드에 적힌 두 수의 차가 작은 사람이 이기는 놀이를 하였습니다. 지혜가 이겼다면 1부터 9까지의 수 중에서 지혜의 카드 빈칸에 적힌 수는 무엇일까요?

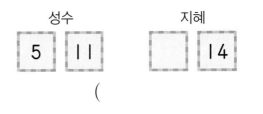

(   )

12 마당에 강아지 2마리와 닭 몇 마리가 있습니다. 강아지와 닭의 다리 수를 세어 보니 모두 14개였습니다. 마당에 있는 닭은 몇 마리일까요?

(   )

콩쥐의 시계

>> 정답 44쪽

⬛ 안에 알맞은 수를 써넣으세요.

콩쥐의 엄마는 콩쥐가 어렸을 때 병으로 돌아가셔서 콩쥐는 새엄마랑 살게 되었어요. 새엄마는 마음씨 착한 콩쥐에게 늘 힘든 일만 시켰어요. 오늘도 새엄마는 밖으로 나가면서 콩쥐에게 많은 일을 시켰어요.

"시계의 짧은바늘이 숫자 6을 가리키고, 긴바늘이 숫자 12를 가리킬 때 돌아올 것이니 그 전에 일을 모두 끝내도록 하거라."

콩쥐가 대답했어요.

"네. 그럼 어머니께서 돌아오시는 ❶⬛시까지 일을 모두 끝낼게요."

쉬지 않고 일을 한 콩쥐는 커다란 항아리에 물을 가득 채우면 일을 다 끝낼 수 있게 되었어요. 하지만 항아리의 밑바닥이 깨져 있어 물을 가득 채울 수가 없었어요.

"어쩌나, 짧은바늘이 숫자 4와 5 사이, 긴바늘이 숫자 6을 가리키는 ❷⬛시 ❸⬛분인데, 흑흑……."

이때 커다란 두꺼비 한 마리가 나타나 자신의 몸으로 항아리의 깨진 부분을 막아 주었어요.

두꺼비의 도움으로 항아리에 물을 가득 채우고 시계를 보았더니 짧은바늘이 숫자 5와 6 사이, 긴바늘이 숫자 6을 가리키고 있었어요.

"아직 ❹⬛시 ❺⬛분이네."

두꺼비의 도움으로 콩쥐는 새엄마가 돌아오시기 전에 쉴 수 있었어요.

수학 심화 문제 해결서

상위권 실력 완성

최고수준
수학

상위권 필수 교재	심화 유형 집중 공략	다양한 부가자료
각종 경시 유형 문제와 완벽한 피드백 제공으로 실전에 강한 수학 상위권 실력 완성	대표 심화 유형 문제 및 쌍둥이 문제, 발전 문제 수록으로 심화 유형 집중 학습 가능	유명강사의 명강의를 들을 수 있는 문제풀이 동영상 강의 및 나만의 오답노트 앱 제공

한 문제에 울고 웃는
상위권을 위한 수학교재
(초등 1~6학년 / 학기별)

평가 자료집

수학 1·2

여러 가지 모양

붙임딱지를 붙여 왼쪽 모양과 같은 모양이 되도록 만들어 보세요.

정답은 꼼꼼 풀이집
맨 뒷면에 있어요.

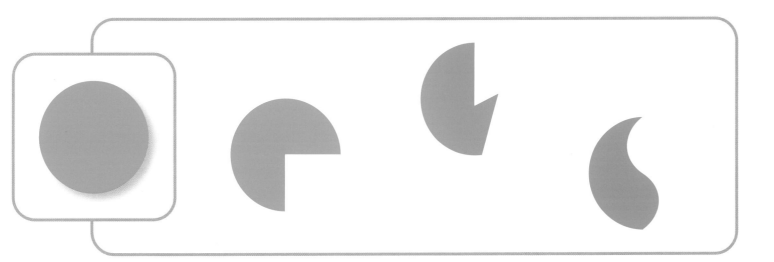

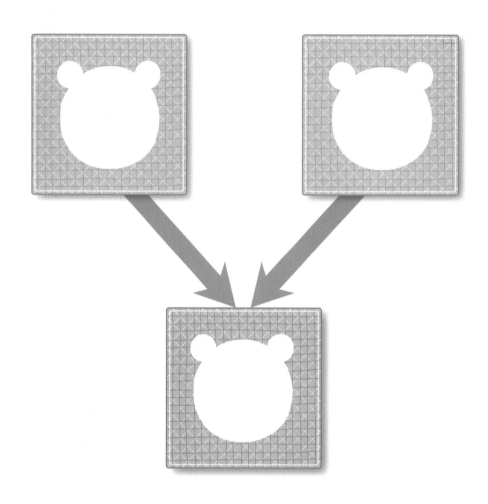

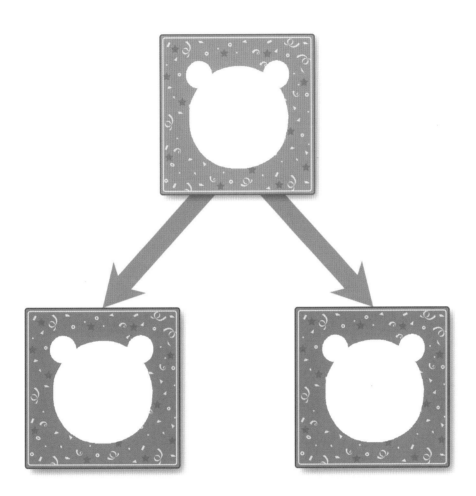

 —  =

규칙 만들기

붙임딱지를
붙였다 떼었다 하면서
여러 번 사용할 수 있어요.

주어진 조각을 규칙적으로 나열하여 자신만의 무늬를 만들어 보세요.

정답은 정확하게, 풀이는 자세하게

정답 풀이

수학 1·2

스피드 정답

문제의 풀이 중에서 이해가 되지 않는 부분은
천재교육 교재 홈페이지 (book.chunjae.co.kr)
초등 / 교재상담에 문의하세요.

천재교육

GENIE FRIENDS®

꼼꼼 풀이집
포인트 **2**가지

▶ 단원별 학부모 지도 가이드 제공

▶ 참고, 주의, 다른 풀이 등과 함께 친절한 해설 제공

꼼꼼 풀이집

수학 1-2

1단원 100까지의 수

>> 이런 점에 중점을 두어 지도해요

"사탕은 70개입니다."에서 70은 칠십이라고 읽어도 되고, 일흔이라고 읽어도 됩니다. 그러나 "나의 대기 번호는 70번입니다."에서 70은 칠십으로만 읽습니다. 이와 같이 차례, 번호, 길이, 무게를 나타낼 때에는 칠십이라고 읽습니다. 지도할 때에는 규칙을 알려주기보다는 다양한 상황을 제시하여 경험을 통해 익히도록 합니다.

>> 이런 점이 궁금해요!!

• 100을 잘 이해하지 못해요.
99보다 1만큼 더 큰 수를 100이라 합니다. 이해가 잘 되지 않는다면 9보다 1만큼 더 큰 수를 10이라고 약속한 것을 알려 줍니다.

이전에 배운 내용 확인하기   7쪽

1 (1) 41 (2) 34
2 25, 28, 29
3 서른(또는 삼십), 쉰(또는 오십)

1 10개씩 묶음의 수와 낱개의 수를 세어 순서대로 씁니다.

3   열 — 스물 — 서른 — 마흔 — 쉰
   10   20   30   40   50

1단계 | 교과서 개념   10~11쪽

확인 1 (1) 70 (2) 80

1 6, 60
2 (1) 80 ; 팔십, 여든 (2) 90 ; 구십, 아흔
3
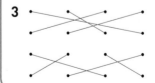

확인 1 한 묶음에 10개씩 들어 있습니다.

---

1 복숭아는 10개씩 묶음이 6개이므로 60개입니다.

2 (1) 10개씩 묶음이 8개이므로 80입니다.
80은 팔십 또는 여든이라고 읽습니다.
(2) 10개씩 묶음이 9개이므로 90입니다.
90은 구십 또는 아흔이라고 읽습니다.

3
60	70	80	90
육십	칠십	팔십	구십
예순	일흔	여든	아흔

참고
여러 상황 속에서 '몇십'을 바르게 읽습니다.
예 • 사탕은 60개입니다. (육십, 예순)
     • 나의 신발장 번호는 60번입니다. (육십)

1단계 | 교과서 개념   12~13쪽

확인 1 (1) 8, 6 ; 86 (2) 6, 4 ; 64

1 7, 3, 73
2 68
3 (1) 예
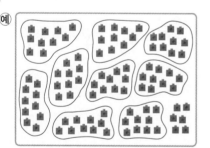
96 ; 구십육, 아흔여섯
(2) 예

71 ; 칠십일, 일흔하나

확인 1 (1) 사탕은 10개씩 묶음 8개와 낱개 6개이므로 86개입니다.

1 10개씩 묶음 7개는 70이고 낱개 3개는 3이므로 70과 3은 73입니다.

2 낱개로 있는 달걀을 묶으면 10개씩 묶음 1개와 낱개 8개입니다.

3 (1) 낱개로 10개씩 묶어서 세어 보면 10개씩 묶음 9개와 낱개 6개이므로 모형은 모두 96개입니다.
96은 구십육 또는 아흔여섯이라고 읽습니다.

> **주의**
>
> 수를 읽을 때 숫자만 읽으면 안 됩니다.
>
> 예 65 ⇨ ┌ 육오(×)
> └ 육십오(○)

2단계 | 교과서+익힘책 유형 연습   14~15쪽

1 예

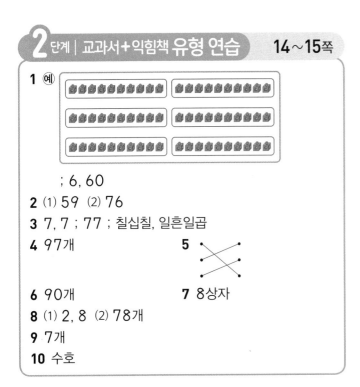

; 6, 60

2 (1) 59 (2) 76

3 7, 7 ; 77 ; 칠십칠, 일흔일곱

4 97개

5

6 90개

7 8상자

8 (1) 2, 8 (2) 78개

9 7개

10 수호

1 모형을 10개씩 묶어 세어 보면 10개씩 묶음이 6개이므로 60입니다.

2 (1) 10개씩 묶음 5개는 50, 낱개 9개는 9이므로 59입니다.
(2) 10개씩 묶음 7개는 70, 낱개 6개는 6이므로 76입니다.

3 10개씩 묶음 7개와 낱개 7개이므로 77입니다. 77은 칠십칠 또는 일흔일곱이라고 읽습니다.

4

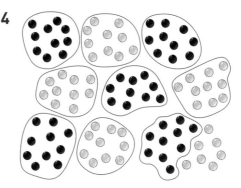

바둑돌을 10개씩 묶어 보면 10개씩 묶음 9개와 낱개 7개이므로 바둑돌은 모두 97개입니다.

6 의자가 한 줄에 10개씩 9줄이므로 의자는 모두 90개입니다.

7 낱개 20개는 10개씩 묶음 2상자가 되므로 빵은 모두 10개씩 묶음 8상자가 됩니다.

8 (1) 낱개 28개는 10개씩 묶음 2상자와 낱개 8개입니다.
(2) 10개씩 묶음 5상자와 낱개 28개는 10개씩 묶음 7상자와 낱개 8개가 됩니다.
따라서 키위는 모두 78개입니다.

9

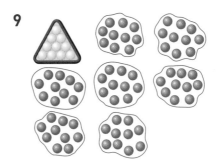

파란 공을 세어 보면 10개씩 묶음이 7개이므로 70개입니다. 따라서 파란 공을 모두 담으려면 세모 모양 상자는 7개 필요합니다.

10

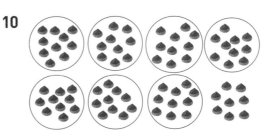

밤의 수를 세어 보면 10개씩 묶음 7개와 낱개 8개이므로 78개입니다.
78은 칠십팔 또는 일흔여덟이라고 읽으므로 밤은 일흔여덟 개 있습니다.
따라서 밤의 수를 알맞게 말한 사람은 수호입니다.

1단계 | 교과서 개념   16~17쪽

확인 1 백

확인 2 63, 66, 69

---

1 94, 95, 98, 100 ; 100
2 (1) 75, 77, 80, 82 (2) 82, 85, 87, 89
3
4 (1) 79, 81 (2) 98, 100

---

1 93부터 수를 순서대로 씁니다. 99보다 1만큼 더 큰 수는 99 다음 수인 100입니다.

2 (1) 1씩 커지도록 수를 써넣습니다.
   (2) 83보다 1만큼 더 작은 수는 82입니다. 84보다 1만큼 더 큰 수는 85입니다.

3 87보다 1만큼 더 큰 수는 87 다음 수인 88입니다. 90보다 1만큼 더 작은 수는 90 바로 앞의 수인 89입니다.

4 (1) • 80보다 1만큼 더 작은 수는 80 바로 앞의 수이므로 79입니다.
     • 80보다 1만큼 더 큰 수는 80 바로 뒤의 수이므로 81입니다.
   (2) • 99보다 1만큼 더 작은 수는 99 바로 앞의 수인 98입니다.
     • 99보다 1만큼 더 큰 수는 99 바로 뒤의 수인 100입니다.

1단계 | 교과서 개념   18~19쪽

확인 1 < ; (1) 작습니다에 ○표, <
       (2) 큽니다에 ○표, >

---

1 (1) 예   ; ×

  (2) 예   ; ○

2 6 ; 짝수에 ○표   3 67, 62 ; 67에 ○표
4 (1) > (2) <

---

1 (1) 7은 둘씩 짝을 지을 수 없으므로 ×표 합니다.
  (2) 8은 둘씩 짝을 지을 수 있으므로 ○표 합니다.

2 토끼는 6마리이고 둘씩 짝을 지을 수 있으므로 짝수입니다.

3 왼쪽 벌은 10마리씩 묶음 6개와 낱개 7마리이므로 67마리이고, 오른쪽 벌은 10마리씩 묶음 6개와 낱개 2마리이므로 62마리입니다.
따라서 10개씩 묶음의 수가 같으므로 낱개의 수를 비교합니다. 7>2이므로 67이 62보다 더 큽니다.

4 (1) 10개씩 묶음의 수를 비교하면 8>6이므로 84>67입니다.
  (2) 10개씩 묶음의 수가 같으므로 낱개의 수를 비교하면 6<8입니다. ⇨ 56<58

참고
부등호의 방향은 두 수 중 큰 수 쪽으로 향합니다. 동물들이 더 큰 먹이, 더 많은 먹이를 향해 입을 벌리는 모습을 생각하여 부등호의 방향을 이해하면 좋습니다.

84   67

2단계 | 교과서+익힘책 유형 연습   20~21쪽

1 홀수
2

3 (1) 88, 86 (2) 97, 99, 100
4 (1) < (2) >
5 73, 87
6 25, 13, 39
7 ㉠
8 80에 ○표
9 0, 1에 ○표
10 59번

11

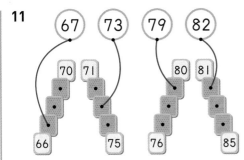

12 54, 56 ; 65, 87
13 민규, 성진, 혜연

3 (1) 오른쪽으로 갈수록 1씩 작아지고 있으므로
90 – 89 – 88 – 87 – 86입니다.
(2) 오른쪽으로 갈수록 1씩 커지고 있으므로
96 – 97 – 98 – 99 – 100입니다.

4 (1) 10개씩 묶음의 수를 비교하면 6<7이므로
63<76입니다.
(2) 10개씩 묶음의 수가 같으므로 낱개의 수를 비교하면
7>4입니다. ⇨ 87>84

5 73>68, 60<68, 59<68, 87>68
따라서 68보다 큰 수는 73, 87입니다.

6 홀수는 둘씩 짝을 지을 수 없는 수로 낱개의 수가 1, 3,
5, 7, 9입니다. 따라서 홀수는 25, 13, 39입니다.

7 ㉠ 80 ㉡ 100 ㉢ 100

8 58, 80, 69에서 10개씩 묶음의 수를 비교하면
8>6>5입니다. 따라서 가장 큰 수는 80입니다.

9 10개씩 묶음의 수가 5로 같으므로 □ 안의 수는 2보다
작아야 합니다. 따라서 □ 안에 들어갈 수 있는 수는 0,
1입니다.

10 62번 채널에서 'ⱽ'를 3번 눌렀으므로 62에서 1씩 작
아지는 순서로 써 보면 62 – 61 – 60 – 59입니다.
따라서 59번 채널이 나옵니다.

11 수를 순서대로 써 본 후 주어진 수의 위치를 찾아 선으로
잇습니다.
66 – ⑥⑦ – 68 – 69 – 70,
71 – 72 – ⑦③ – 74 – 75,
76 – 77 – 78 – ⑦⑨ – 80,
81 – ⑧② – 83 – 84 – 85

12 60보다 작은 수: 56, 54
60보다 큰 수: 65, 87
⇨ 54<56, 65<87

13 혜연: 85개, 민규: 92개,
성진: 85보다 1만큼 더 큰 수는 86이므로 86개입
니다.
따라서 민규, 성진, 혜연의 순서대로 많이 땄습니다.

3단계 | 서술형 **문제 해결** **22~23**쪽

1 ❶ 1, 74 ❷ 74
; 74

2 ❶~❷

| 11 | ⑫ | 13 | ⑭ | 15 |

| ⑯ | 17 | ⑱ | 19 |

❸ 4
; 4

3 ❶ 2, 7, 75 ❷ 6, 69 ❸ >, 빨간색
; 빨간색

4 예 ❶ 10장씩 묶음 8개와 낱개 8장이므로 태현이는
88장 모았습니다. ▶2점
❷ 낱개 16장은 10장씩 묶음 1개와 낱개 6장이므
로 인수는 10장씩 묶음 8개와 낱개 6장인 86
장 모았습니다. ▶2점
❸ 따라서 88>86이므로 더 적게 모은 사람은 인
수입니다. ▶2점
; 인수 ▶4점

채점 기준		
태현이가 모은 칭찬 붙임딱지의 수를 구한 경우	2점	
인수가 모은 칭찬 붙임딱지의 수를 구한 경우	2점	10점
칭찬 붙임딱지를 더 적게 모은 사람을 찾은 경우	2점	
답을 바르게 쓴 경우	4점	

단원평가 ❶ 회 24~25쪽

1 ○
△

2 83개   **3** ③

4 97, 99, 100

5

6 <

7 (1) 80, 81 (2) 67 (3) 93

8 (1) 아니요에 ○표 (2) ㉠ (3) ㉠

9 92, 85, 67, 59

10 예 10개씩 묶음의 수가 가장 큰 수는 93입니다.▶3점
따라서 상을 받는 학생은 지혜입니다.▶3점
; 지혜▶4점

---

1 위쪽에 있는 양말은 6개로 둘씩 짝을 지을 수 있으므로
짝수이고, 아래쪽에 있는 양말은 7개로 둘씩 짝을 지을
수 없으므로 홀수입니다.

2
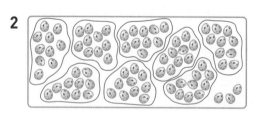

메추리알을 10개씩 묶어 보면 10개씩 묶음 8개와 낱
개 3개입니다.
⇨ 83개

3 ③ 87 − 팔십칠 − 여든일곱

4 96 바로 다음 수는 97이고, 98 바로 다음 수는 99이
고, 99 바로 다음 수는 100입니다.

5 89부터 100까지 차례로 이어 돌고래 모양을 완성합
니다.

---

6 76 < 99
7 < 9
10개씩 묶음의 수를 비교하면 76이 99보다 작습니다.

7 (1) 79 − 80 − 81 − 82
79와 82 사이에 있는 수

8 (3) 10개씩 묶음의 수가 클수록 더 큰 수입니다.

9 10개씩 묶음의 수를 비교하면 9>8>6>5이므로
큰 수부터 차례로 쓰면 92, 85, 67, 59입니다.

10

채점 기준		
가장 큰 수를 찾은 경우	3점	
상을 받는 학생이 누구인지 구한 경우	3점	10점
답을 바르게 쓴 경우	4점	

단원평가 ❷ 회 26~27쪽

1 70 ; 칠십, 일흔

2 68 ; 육십팔, 예순여덟

3 69, 72

4 67, 예순일곱에 ○표

5 81, >, 80

6 ④   **7** ③

8 7, 8, 9   **9** 23송이

10 예 10개씩 묶음의 수에 가장 작은 수인 6을 쓰고 낱
개의 수에 두 번째로 작은 수인 7을 씁니다.▶3점
따라서 만들 수 있는 가장 작은 수는 67입니다.▶3점
; 67▶4점

---

1 10개씩 묶음이 7개이므로 70이라 쓰고 칠십 또는 일
흔이라고 읽습니다.

2 10개씩 묶음 6개와 낱개 8개인 수는 68이고, 68은
육십팔 또는 예순여덟이라고 읽습니다.

3 70 바로 앞의 수는 69이고, 71 바로 뒤의 수는 72입
니다.

4 10개씩 묶음 6개와 낱개 7개는 67(육십칠, 예순일곱)
입니다.

5 82보다 1만큼 더 작은 수는 82 바로 앞의 수인 81이고, 79보다 1만큼 더 큰 수는 79 바로 뒤의 수인 80입니다. ⇨ 81>80

6 낱개의 수가 2, 4, 6, 8, 0이면 짝수입니다.
따라서 ①, ②, ③, ⑤는 짝수이고, ④는 홀수입니다.

7 1은 60~69번이므로 10개씩 묶음이 6번인 사물함,
2는 70~79번이므로 10개씩 묶음이 7번인 사물함,
3은 80~89번이므로 10개씩 묶음이 8번인 사물함,
4는 90~99번이므로 10개씩 묶음이 9번인 사물함입니다.
채영이는 10개씩 묶음이 8번인 열쇠를 가지고 있으므로 3에서 사물함을 찾아야 합니다.

8 10개씩 묶음의 수를 비교하면 □>7이므로 □ 안에 8, 9가 들어갈 수 있고, 낱개의 수를 비교하면 7>6이므로 □ 안에 7도 들어갈 수 있습니다.
따라서 □ 안에 들어갈 수 있는 수는 7, 8, 9입니다.

9 83은 10개씩 묶음 8개와 낱개 3개입니다.
이 중에서 10개씩 묶음 6개를 빼면
10개씩 묶음 8-6=2(개)와 낱개 3개가 남습니다.
따라서 담지 않은 포도는 23송이입니다.

10

채점 기준		
10개씩 묶음의 수와 낱개의 수를 찾은 경우	3점	
가장 작은 수를 구한 경우	3점	10점
답을 바르게 쓴 경우	4점	

창의융합+실력UP 28~29쪽

1 예

2 (1) 58점, 62점, 74점 (2) 은정

3
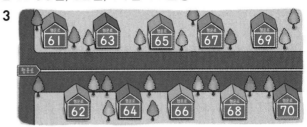

4

화면									
출입구									출입구
1	2	3	4	5	6	7	8	9	10
11	12	13	14	15	16	17	18	19	20
21	22	23	24	25	26	27	28	29	30
31	32	33	34	35	36	37	38	39	40
41	42	43	44	45				49	50
51	52	53	54	55	56	57	58	59	60

46, 47, 48번 자리에 민수, 동생, 엄마를 붙이거나 엄마, 동생, 민수를 차례로 붙입니다.

1 32부터 40까지의 수 중에서 짝수는 32, 34, 36, 38, 40이고, 홀수는 33, 35, 37, 39입니다.

2 (1) 민경: 10점에 5개, 1점에 8개의 화살을 맞혔으므로 58점을 얻었습니다.
태호: 10점에 6개, 1점에 2개의 화살을 맞혔으므로 62점을 얻었습니다.
은정: 10점에 7개, 1점에 4개의 화살을 맞혔으므로 74점을 얻었습니다.
(2) 58, 62, 74의 크기를 비교하면 74>62>58이므로 가장 큰 수는 74입니다.
따라서 점수가 가장 높은 사람은 은정입니다.

3 61부터 시작이므로

61 63 65 67 69
62 64 66 68 70

순서로 붙임딱지를 붙입니다.

4 46번부터 나란히 앉아 있으므로 자리 번호는 46, 47, 48번입니다.
이 중에서 홀수는 47이므로 동생의 자리 번호는 47번입니다.
민수와 엄마의 자리는 서로 바뀌어도 정답입니다.

2단원 덧셈과 뺄셈 (1)

덧셈과 뺄셈은 가장 기초적인 연산입니다. 이 단원은 2학년 1학기에서 배우는 받아올림과 받아내림이 있는 덧셈과 뺄셈의 기초가 되는 단원입니다. 수의 자리에 맞게 계산해야 하는 것에 중점을 두고 지도합니다.

>> 이런 점이 궁금해요!!

• 한 자리 수의 덧셈은 쉽게 하는데 두 자리 수의 덧셈과 뺄셈은 어려워해요.

두 자리 수의 덧셈과 뺄셈을 어려워한다면 먼저 자릿값을 이해해야 합니다. 두 자리 수 중에서 왼쪽에 있는 수는 10개씩 묶음의 수라는 것을 생각하면서 계산하도록 합니다.

이전에 배운 내용 확인하기 31쪽

1 (1) 9 (2) 7 2 (1) 4 (2) 2
3 (1) 7 (2) 5
4 $7 - 2 = 5$

1단계 | 교과서 개념 34~35쪽

확인 1 (1) 29 (2) 70

1 13, 14, 15 ; 15
2 (1) 56 (2) 66 (3) 64 (4) 90
3 (1) 60 (2) 65
4

2 (3) 낱개끼리 더하고, 10개씩 묶음은 그대로 내려 씁니다.
(4) 10개씩 묶음끼리 더합니다.

3 (2) $3+62 \Rightarrow$
$$\begin{array}{r} 62 \\ +\ 3 \\ \hline 65 \end{array}$$

2단계 | 교과서+익힘책 유형 연습 36~37쪽

1 4, 25 2 (1) 48 (2) 60
3 80 4 (1) 70 (2) 79
5
6 (위에서부터) 33, 47, 48
7 32, 33, 34, 35
8 (△)( ) 9 60개
10 가오리
11 $\boxed{10}+\boxed{30}=40$ (또는 $\boxed{30}+\boxed{10}=40$)
12 29명

3 전체는 50과 30의 합이므로 50+30=80입니다.

4 (1) $\begin{array}{r} 10 \\ +60 \\ \hline 70 \end{array}$ ① 낱개: 0 ② 10개씩 묶음: 1+6=7 ⇒ 10+60=70

5 $\begin{array}{r}24\\+\ 4\\\hline 28\end{array}$, $\begin{array}{r}30\\+\ 9\\\hline 39\end{array}$, $\begin{array}{r}70\\+20\\\hline 90\end{array}$

6 30+3=33, 45+2=47, 45+3=48

7 어떤 수에 더하는 수가 1씩 커지면 합도 1씩 커집니다.

8 40+30=70, 10+80=90
70과 90의 10개씩 묶음의 수를 비교하면 70이 더 작습니다.

9 30+30=60(개)

10 20+30=50, 30+5=35, 40+1=41
50, 35, 41의 10개씩 묶음의 수를 비교하면 50이 가장 크고 35가 가장 작습니다.

11 10+20=30, 10+30=40, 10+40=50, 10+50=60, 20+30=50, 20+40=60, 20+50=70, 30+40=70, 30+50=80, 40+50=90

12 (박물관에 있는 사람 수)=(남자의 수)+(여자의 수)
⇒ 24+5=29(명)

❶단계 | 교과서 개념   38~39쪽

확인❶ (1) 3, 5 (2) 6, 3

1 (1) 13, 39 (2) 12, 36
2 (1) 59 (2) 24 (3) 64 (4) 88
3 (1) 23, 38 (2) 24, 35

1 (2) 배는 24개이고, 사과는 12개입니다.
   ⇨ 24+12=36(개)

2 (3) 낱개끼리 더하고, 10개씩 묶음끼리 더합니다.

3 (1) (딸기 맛 우유의 수)+(초코 맛 우유의 수)
   =15+23=38(개)
   (2) (왼쪽 달걀의 수)+(오른쪽 달걀의 수)
   =24+11=35(개)

❷단계 | 교과서+익힘책 유형 연습   40~41쪽

1 56   2 (1) 87 (2) 57
3 79   4 (1) 14, 26 (2) 14, 47
5

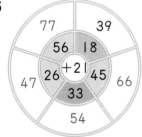

6 ©   7 57 ; 5
8 88개   9 85, 54, 55
10 예)
   ⎡30⎤ + ⎡10⎤ = ⎡40⎤
   ⎡43⎤ + ⎡14⎤ = ⎡57⎤
   (30+13=43, 30+14=44, 30+20=50,
   12+10=22, 12+13=25, 12+14=26
   등 여러 가지 덧셈식을 만들 수 있습니다.)
11 ⎡15⎤+⎡23⎤=⎡38⎤ (또는 ⎡23⎤+⎡15⎤=⎡38⎤)
   ; 20, 3

1 낱개끼리 더하면 4+2=6이고,
   10개씩 묶음끼리 더하면 3+2=5입니다.
   ⇨ 34+22=56

3   23   ① 낱개: 3+6=9
      + 56   ② 10개씩 묶음: 2+5=7
       79   ⇨ 23+56=79

4 (1) (빨간색 책의 수)+(노란색 책의 수)
   =12+14=26(권)
   (2) (노란색 책의 수)+(초록색 책의 수)
   =14+33=47(권)

5 18+21=39이므로
   56+21=77, 26+21=47, 33+21=54,
   45+21=66입니다.

6 ㉠ 41+23=64, ㉡ 50+16=66,
   ㉢ 64+10=74, ㉣ 43+15=58
   따라서 74>66>64>58이므로 합이 가장 큰 것은
   ㉢입니다.

7 10개씩 묶음은 10개씩 묶음끼리 더하고, 낱개는 낱개
   끼리 더하여 계산한 방법입니다.

8 56+32=88(개)

9 ▢ 모양에 적힌 수의 합: 53+32=85
   ⬭ 모양에 적힌 수의 합: 41+13=54
   ⬤ 모양에 적힌 수의 합: 20+35=55

11 10과 23을 더하고 5를 더하는 방법도 있습니다.

❶단계 | 교과서 개념   42~43쪽

확인❶ (1) 44 (2) 30

1 32   2 10
3 (1) 14 (2) 40 (3) 54 (4) 20
4

1 낱개 6개에서 4개를 지우면 10개씩 묶음 3개와 낱개 2개가 남습니다.
➡ $36-4=32$(개)

2 구슬이 30개, 야구공이 20개이므로 구슬은 야구공보다 $30-20=10$(개) 더 많습니다.

4
$$
\begin{array}{r} 27 \\ -\ 5 \\ \hline 22 \end{array} \qquad
\begin{array}{r} 80 \\ -30 \\ \hline 50 \end{array} \qquad
\begin{array}{r} 90 \\ -80 \\ \hline 10 \end{array}
$$

---

2 단계 | 교과서+익힘책 **유형 연습**　　**44~45쪽**

1 20　　　　　　**2** (1) 81　(2) 50
3 40, 20　　　　**4** (1) 50　(2) 73
5
6 (○)
　( )
　( )
7 7　　　　　　**8** ㉡
9 $26-5=21$, 21개
10 51, 51, 51, 51
11 70, 30
12 26명

---

1 빨간색 단추: 40개, 초록색 단추: 20개
따라서 빨간색 단추는 초록색 단추보다
$40-20=20$(개) 더 많습니다.

3 $80-40=40$, $40-20=20$

4 (1) $58-8=50$
(2)
$$
\begin{array}{r} 76 \\ -\ 3 \\ \hline 73 \end{array}
$$
① 낱개: $6-3=3$
② 10개씩 묶음: 7
➡ $76-3=73$

5 $26-6=20$　│　$20-10=10$
$17-3=14$　│　$19-5=14$
$50-40=10$　│　$70-50=20$

6 $34-3=31$

7 낱개의 수끼리 계산합니다.
$\square-4=3 \Rightarrow 3+4=\square$, $\square=7$

8 계산 결과를 비교하면 $60>31>30$이므로 계산 결과가 가장 큰 것은 ㉡입니다.

9 26에서 5를 빼는 뺄셈식을 씁니다.
➡ $26-5=21$

10
> **참고**
> 빼지는 수와 빼는 수가 각각 1씩 커지면 두 수의 차는 모두 같습니다.

11 $40-30=10$, $50-30=20$, $50-40=10$,
$60-30=30$, $60-40=20$, $60-50=10$,
$\underline{70-30=40}$, $70-40=30$, $70-50=20$,
$70-60=10$

12 수지네 반 전체 학생 수에서 달리기 선수의 수를 뺍니다. 따라서 아침 활동 시간에 교실에서 책을 읽는 학생은 $29-3=26$(명)입니다.

---

1 단계 | 교과서 **개념**　　**46~47쪽**

> **확인 ①** (1) 1, 4　(2) 1, 3

1 15
2 15, 12
3 (1) 23　(2) 51　(3) 23　(4) 33
4 (1) 23, 12　(2) 23, 21

---

1 나뭇잎 28장에서 13장을 덜어 내면 15장이 남습니다.
➡ $28-13=15$

2 배는 27개, 사과는 15개이므로 배는 사과보다
$27-15=12$(개) 더 많습니다.

3 낱개는 낱개끼리, 10개씩 묶음은 10개씩 묶음끼리 뺍니다.

4 (1) (금붕어의 수)−(열대어의 수)
$=35-23=12$(마리)
(2) (열대어의 수)−(건진 열대어의 수)
=(남은 열대어의 수)
➡ $23-2=21$(마리)

2단계 | 교과서+익힘책 **유형 연습** 48~49쪽

1 11

2 (1) 16 (2) 41

3 (위에서부터) 17, 32, 26

4 (1) 13, 14 (2) 27, 21

5 (위에서부터) 85, 30, 55

6 73

7 수경

8 (1) (위에서부터) 13, 11 (2) 민수네 반

9 예
$$\boxed{69} - \boxed{25} = \boxed{44}$$
$$\boxed{26} - \boxed{13} = \boxed{13}$$

(78−25=53, 37−32=5, 69−11=58 등
여러 가지 뺄셈식이 나올 수 있습니다.)

10 14개

11 $\boxed{48} - \boxed{21} = \boxed{27}$; 20, 20

1 빨간 구슬이 38개, 파란 구슬이 27개이므로 빨간 구슬
은 파란 구슬보다 38−27=11(개) 더 많습니다.

2 (1)
$$\begin{array}{r} 6\ 8 \\ -\ 5\ 2 \\ \hline 6 \end{array} \Rightarrow \begin{array}{r} 6\ 8 \\ -\ 5\ 2 \\ \hline 1\ 6 \end{array}$$

(2) 75−34 ⇒
$$\begin{array}{r} 7\ 5 \\ -\ 3\ 4 \\ \hline 4\ 1 \end{array}$$

3

− →		
79	56	23
47	30	㉠
㉡	㉢	

㉠ 47−30=17
㉡ 79−47=32
㉢ 56−30=26

4 (1) (동화책의 수)−(만화책의 수)=27−13=14(권)

(2) (동화책의 수)−(빌려간 동화책의 수)
  =(남는 동화책의 수)
   ⇒ 27−6=21(권)

5 96−11=85, 57−27=30, 85−30=55

6 가장 큰 수: 98, 가장 작은 수: 25
   ⇒ 98−25=73

7 수경: 74에서 2를 뺀 다음 30을 빼야 하므로 잘못 계
산한 사람은 수경입니다.

8 (1) (지연이네 반 여학생 수)=28−17=11(명)
   (민수네 반 남학생 수)=25−12=13(명)

(2) 11<12이므로 민수네 반 여학생이 더 많습니다.

10 가져간 우유의 수는 우유를 마시는 학생 수에서 우유 통
에 남아 있는 우유의 수를 빼어 구합니다.
   ⇒ 25−11=14(개)

11 : 48에서 1을 먼저 뺀 다음 20을 빼는 방법입
니다.

: 10개씩 묶음끼리 빼고, 낱개끼리 빼는 방법입
니다.

3단계 | 서술형 **문제 해결** 50~51쪽

1 ❶ 38, 36 ❷ 36, 21
   ; 21

2 ❶ 24, 12 ❷ 12, 48
   ; 48

3 ❶ 18 ❷ 12, 15 ❸ 기차
   ; 기차

4 예 ❶ 울타리 안에 남아 있는 양은
     18−5=13(마리)입니다. ▶2점
   ❷ 울타리 안에 남아 있는 젖소는
     24−14=10(마리)입니다. ▶2점
   ❸ 따라서 13>10이므로 울타리 안에 더 많이 남
     아 있는 동물은 양입니다. ▶2점
   ; 양 ▶4점

채점 기준		
울타리 안에 남아 있는 양의 수를 구한 경우	2점	
울타리 안에 남아 있는 젖소의 수를 구한 경우	2점	10점
울타리 안에 더 많이 남아 있는 동물을 찾은 경우	2점	
답을 바르게 쓴 경우	4점	

단원평가 ①회   52~53쪽

1 34   **2** (1) 32 (2) 66
3 28, 23   **4** 97, 31
5 (   )(   )
     (○)
6 55개
7 $\boxed{15}+\boxed{4}=\boxed{19}$ (또는 4+15=19)
     $\boxed{15}-\boxed{4}=\boxed{11}$
     (또는 19-15=4, 19-4=15)
8 태우
9 99, 31
10 예 동화책이 46권이므로 위인전은
     46-23=23(권)입니다.▶3점
     따라서 동석이네 집에 있는 동화책과 위인전은 모
     두 46+23=69(권)입니다.▶3점
     ; 69권▶4점

---

1 10개씩 묶음 3개와 낱개 4개이므로 30+4=34입니다.

2 (1)
$$\begin{array}{r} 7\,2 \\ -\,4\,0 \\ \hline 2 \end{array} \Rightarrow \begin{array}{r} 7\,2 \\ -\,4\,0 \\ \hline 3\,2 \end{array}$$
(2) 61+5 ⇨
$$\begin{array}{r} 6\,1 \\ +\quad 5 \\ \hline 6\,6 \end{array}$$

3 20+8=28, 28-5=23

4 합: 33+64=97
     차: 64-33=31

5 37+52=89, 66+20=86, 45+52=97
     따라서 합이 가장 큰 것은 45+52=97입니다.

6 (사과의 수)-(귤의 수)=79-24=55(개)

7 • 젖소와 양이 모두 몇 마리인지 구하는 덧셈식을 만들
     수 있습니다.
       ⇨ 15+4=19 또는 4+15=19
   • 젖소가 양보다 몇 마리 더 많은지 구하는 뺄셈식을 만
     들 수 있습니다. ⇨ 15-4=11
   • 전체에서 젖소의 수를 빼어 양의 수를 구하는 뺄셈식
     을 만들 수 있습니다. ⇨ 19-15=4
   • 전체에서 양의 수를 빼어 젖소의 수를 구하는 뺄셈식
     을 만들 수 있습니다. ⇨ 19-4=15

8 태우는 13과 60을 더하고, 1을 더해야 하는데 10을
더해서 잘못 계산했습니다.

9 가장 큰 수는 65, 가장 작은 수는 34입니다.
     ⇨ 65+34=99, 65-34=31

10 주의
> 위인전의 수만 구하는 것이 아니라 동화책과 위인전의
> 수의 합을 구해야 합니다.

채점 기준		
위인전의 수를 구한 경우	3점	
동화책과 위인전의 수의 합을 구한 경우	3점	10점
답을 바르게 쓴 경우	4점	

단원평가 ②회   54~55쪽

1 30   **2** (1) 70 (2) 53
3 59
4
     (선이 엇갈리게 연결됨)
5 <   **6** 하준
7 60-10=50, 50장
8 $\boxed{25}-\boxed{4}=\boxed{21}$; $\boxed{25}-\boxed{14}=\boxed{11}$
     (또는 14-4=10)
9 34, 13, 26
10 예 과일 가게에 있는 바나나는 47-15=32(개)입
     니다.▶3점
     따라서 사과와 바나나는 모두 47+32=79(개)
     입니다.▶3점
     ; 79개▶4점

---

1 10개씩 묶음 5개에서 10개씩 묶음 2개를 덜어 내면
     10개씩 묶음 3개가 남습니다.
     ⇨ 50-20=30

3 □는 35와 24를 더한 값입니다.
     ⇨ 35+24=59

4 36+42=78, 8+50=58, 10+40=50,
     68-10=58, 99-21=78, 53-3=50

5 86-34=52, 13+41=54
     ⇨ 52<54

6 하준: '나는 20과 4를 더하고 3과 70을 더했어.'라고 해야 합니다.

따라서 잘못 계산한 사람은 하준입니다.

7 칭찬 쿠폰 60장 중 10장을 사용하였으므로 60에서 10을 빼야 합니다. 따라서 남은 칭찬 쿠폰은 60−10=50(장)입니다.

8 여러 가지 뺄셈식을 만들 수 있습니다.

9 · 11+23=34이므로 🌼는 34입니다.

· 🌼−21=⚪

⇨ 34−21=13이므로 ⚪는 13입니다.

· ⚪+⚪=✿

⇨ 13+13=26이므로 ✿는 26입니다.

10

채점 기준		
바나나의 수를 구한 경우	3점	
사과와 바나나가 모두 몇 개인지 구한 경우	3점	10점
답을 바르게 쓴 경우	4점	

창의융합＋실력UP   56~57쪽

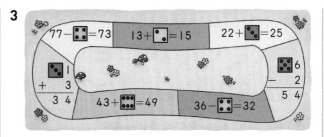

1

72−21=51
23+20=43
55−20=35
36+13=49

50−20=30
40+20=60
60−20=40
20+20=40

2

20 + 3 23	22 + 2 24	24 + 1 25
21 + 2 23	23 + 1 24	57 − 34 23
22 + 1 23	58 − 34 24	58 − 35 23
59 − 34 25	59 − 35 24	59 − 36 23

3

77−⚅=73   13+⚁=15   22+⚂=25

⚀ 1
＋   3
3 4

⚅
−   2
5 4

43+⚅=49   36−⚃=32

4 (1) 56개, 74개

(2) 백군의 바구니에 트로피 붙임딱지를 붙입니다.

1 · 23+20=43

· 55−20=35

· 36+13=49

· 4+2=6이므로 40+20=60입니다.

· 6−2=4이므로 60−20=40입니다.

· 2+2=4이므로 20+20=40입니다.

2 참고

합이 같은 식을 비교하면 ■▲＋●에서 ▲가 1 커지면 ●가 1 작아지는 것을 알 수 있습니다.

차가 같은 식을 비교하면 ■▲−●★에서 ▲가 1 커지면 ★도 1 커지는 것을 알 수 있습니다.

3 · 77에서 4를 빼면 73입니다.

⇨ 77−4=73

· 13에 2를 더하면 15입니다.

⇨ 13+2=15

· 22에 3을 더하면 25입니다.

⇨ 22+3=25

· 43에 6을 더하면 49입니다.

⇨ 43+6=49

· 36에서 4를 빼면 32입니다.

⇨ 36−4=32

· |3 1|
＋   3
3 4   · |5 6|
−   2
5 4

4 (1) (청군이 모은 콩 주머니 수)

＝(파란색 콩 주머니 수)＋(흰색 콩 주머니 수)

＝21+35=56(개)

(백군이 모은 콩 주머니 수)

＝(파란색 콩 주머니 수)＋(흰색 콩 주머니 수)

＝32+42=74(개)

(2) 56<74이므로 승리한 팀은 백군입니다.

3 단원 여러 가지 모양

>> **이런 점에 중점을 두어 지도해요**

주변에서 ■, ●, ▲ 모양을 찾아봅니다.
■, ● 모양은 찾기 쉬운데 ▲ 모양은 눈에 잘 띄지 않습니다. ▲ 모양은 트라이앵글, 삼각김밥, 조각 케이크, 피라미드, 조각 피자, 교통 표지판, 삼각자, 수박 조각 등에서 찾을 수 있어요.
각 모양의 특징을 알아보고 분류해 보도록 합니다.

>> **이런 점이 궁금해요!!**

● ■, ●, ▲ **모양을 정확히 그릴 수 있어야 하나요?**
모양에 대한 개념을 가지고 물체의 모양을 대고 그릴 수 있으면 됩니다. 자를 이용하여 그리는 방법은 다음 학년에서 배우게 됩니다.
● ■, ●, ▲ **모양의 차이점은 어느 정도 알아야 하나요?**
■, ▲ 모양은 뾰족한 부분이 있고, 반듯한 선으로 되어 있는 점과 뾰족한 부분이 몇 군데 있는지 알아두세요. ● 모양은 뾰족한 부분과 반듯한 부분이 없이 둥근 부분만 있다는 점을 알고 있으면 됩니다.

이전에 배운 내용 확인하기 59쪽

1
2 ● 에 ○표
3 2개, 2개, 1개

1단계 | 교과서 개념 62~63쪽

확인 1
1 (1) ▣ 에 ○표 (2) 🎄 에 ○표
2 ( )( )(△)( )
3 ( )(△)( )
4

---

1 (1) 옷걸이와 삼각자는 ▲ 모양입니다.
(2) 시계는 ● 모양, 주사위는 ▣ 모양입니다.

2 왼쪽에서부터 세 번째 블록은 ▲ 모양입니다.

3 트라이앵글은 ▲ 모양, 주사위는 ▣ 모양이므로 서로 다른 모양입니다.

4 문과 카페트는 ▣ 모양입니다.
▲ 모양 쿠션이 있습니다.

1단계 | 교과서 개념 64~65쪽

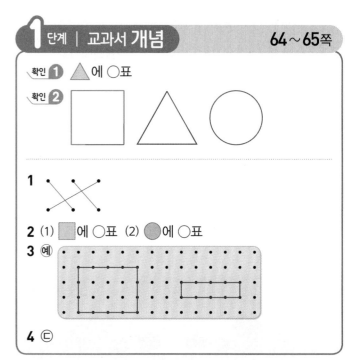

확인 1 ▲ 에 ○표
확인 2

1
2 (1) ▣ 에 ○표 (2) ● 에 ○표
3 예)
4 ©

확인 1 바닥에 닿은 부분을 본뜨면 ▲ 모양입니다.

확인 2 • ▣ 모양은 뾰족한 곳과 반듯한 선이 4개씩 있게 그립니다.
• ▲ 모양은 뾰족한 곳과 반듯한 선이 3개씩 있게 그립니다.
• ● 모양은 뾰족한 곳 없이 둥글게 그립니다.

2 (1) 아랫부분의 모양은 윗부분과 같은 ▣ 모양입니다.
(2) 아랫부분의 모양은 윗부분과 같은 ● 모양입니다.

3 뾰족한 곳이 4군데가 되도록 그립니다.

4 ▲ 모양은 뾰족한 곳이 3군데입니다.

2단계 | 교과서+익힘책 유형 연습　66~67쪽

1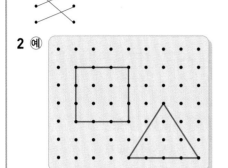

2 (예)

3 ■에 ○표　　　**4**

5

6 △에 ○표

7 ⓒ　　　　　**8** (　)(　)(△)

9 (예) ■ 모양은 뾰족한 곳이 있어 자동차가 잘 굴러가지 않을 것입니다.

10 강민

11 (예) ■ 모양은 뾰족한 곳이 4군데 있고, △ 모양은 뾰족한 곳이 3군데 있습니다.

---

1 교통 표지판은 위에서부터 차례로 ●, △, ■ 모양입니다.
삼각 김밥은 △ 모양, 스케치북은 ■ 모양, 시계는 ● 모양입니다.

2 ■ 모양은 점 4개를 반듯한 선으로 잇습니다.
△ 모양은 점 3개를 반듯한 선으로 잇습니다.

3 왼쪽에서부터 두 번째 카드는 ■ 모양입니다.

6 뾰족한 곳이 세 군데 있는 모양은 △ 모양입니다.

7 모양 조각들은 ■ 모양이므로 뾰족한 곳이 4군데입니다.

8 물건의 윗부분과 아랫부분에 물감을 묻혀 찍기를 하면 △ 모양이 나옵니다. 물건의 옆 부분에 물감을 묻혀 찍기를 하면 ■ 모양이 나옵니다.

10 잠자리는 ■와 ● 모양으로 되어 있고, 애벌레는 ● 모양으로만 되어 있습니다.

1단계 | 교과서 개념　68~69쪽

확인 **1** (1) ■, △　(2) △, ■

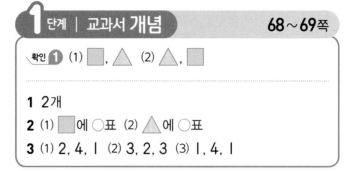

1 2개

2 (1) ■에 ○표　(2) △에 ○표

3 (1) 2, 4, 1　(2) 3, 2, 3　(3) 1, 4, 1

---

1 버스의 바퀴를 꾸미는 데 ● 모양 2개를 이용했습니다.

3 (1)
■ 모양: / 표시를 한 모양으로 2개입니다.
△ 모양: ∨ 표시를 한 모양으로 4개입니다.
● 모양: 가운데에 있는 모양으로 1개입니다.

참고
모양을 꾸미는 데 이용한 모양의 개수를 세는 문제의 경우 빠뜨리거나 두 번 세지 않도록 ∨, ○, / 등의 표시를 하면서 세어 봅니다.

2단계 | 교과서+익힘책 유형 연습　70~71쪽

1 (1) △　(2) ■　　**2** 2개, 5개, 1개

3 (　)(○)　　　　**4** △

5 ●　　　　　　　**6** △에 ○표

7 ■에 ○표　　　　**8** 1개

9 ⓒ

10 (예)

3 왼쪽 모양은 ■ 모양 2개, △ 모양 1개, ● 모양 3개를 이용했습니다.
오른쪽 모양은 ■ 모양 1개, △ 모양 4개, ● 모양 2개를 이용했습니다.

본책

4 이용한 모양은 ⬜ 모양과 ⚫ 모양입니다.

5 왼쪽 모양은 △ 모양과 ⚫ 모양, 오른쪽 모양은 ⬜ 모양과 ⚫ 모양을 이용했습니다.

6 ⬜ 모양 5개, △ 모양 3개, ⚫ 모양 4개를 이용하여 꾸민 모양입니다.

7 ⬜ 모양 6개, △ 모양 1개, ⚫ 모양 2개를 이용하여 꾸민 모양입니다.

8 ⬜ 모양 4개, △ 모양 5개이므로 △ 모양은 ⬜ 모양보다 5-4=1(개) 더 많이 이용했습니다.

9 ㉠은 주어진 모양 조각이 아닌 모양 조각도 이용하여 만들었습니다.

10 ⬜, △, ⚫ 모양을 이용하여 자유롭게 옷을 꾸며 봅니다.

---

3 단계 | 서술형 **문제 해결** 72~73쪽

1 ❶ 1, 2 ❷ 2, 2 ❸ 정수
; 정수

2 ❶ 5, 2, 3 ❷ ⬜
; ⬜, 5개

3 ❶ 5 ❷ 3 ❸ 2
; 2

4 예 ❶ ⬜ 모양은 4개입니다. ▶2점

❷ △ 모양은 3개입니다. ▶2점

❸ 따라서 ⬜ 모양은 △ 모양보다 4-3=1(개) 더 많습니다. ▶2점

; 1개 ▶4점

채점 기준		
⬜ 모양의 수를 구한 경우	2점	
△ 모양의 수를 구한 경우	2점	10점
두 모양의 수의 차를 구한 경우	2점	
답을 바르게 쓴 경우	4점	

단원평가 ① 회 74~75쪽

1 ⬜ 에 ◯표

2
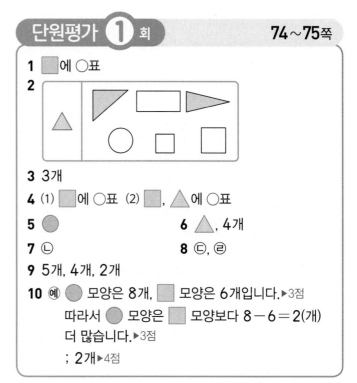

3 3개

4 (1) ⬜ 에 ◯표 (2) ⬜, △ 에 ◯표

5 ⚫   **6** △, 4개

7 ㉡   **8** ㉢, ㉣

9 5개, 4개, 2개

10 예 ⚫ 모양은 8개, ⬜ 모양은 6개입니다. ▶3점
따라서 ⚫ 모양은 ⬜ 모양보다 8-6=2(개) 더 많습니다. ▶3점
; 2개 ▶4점

2 크기가 달라도 모양이 같으면 같은 모양입니다. △ 모양을 모두 찾아 색칠합니다.

3 ⬜ 모양: 3개, △ 모양: 1개, ⚫ 모양: 3개

4 (2) 아래에 있는 부분에 물감을 묻혀 찍으면 △ 모양이 나오고 옆에 있는 부분에 물감을 묻혀 찍으면 ⬜ 모양이 나옵니다.

5 뾰족한 곳이 없고 병뚜껑과 같은 모양은 ⚫ 모양입니다.

6 점선을 따라 잘랐을 때 생기는 모양을 알아보고 수를 세어 봅니다.

7
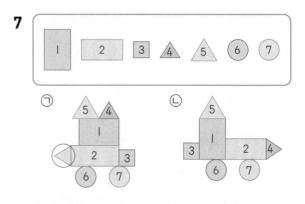

⇨ ㉠은 △ 모양을 한 개 더 이용했습니다.

8 ⬜ 모양 6개, △ 모양 4개, ⚫ 모양 3개를 이용했습니다.

9

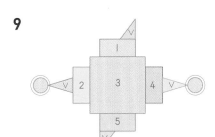

■ 모양: 수를 쓰면 **1**부터 **5**까지이므로 **5**개입니다.

▲ 모양: ∨ 표시를 한 모양으로 **4**개입니다.

● 모양: ○ 표시를 한 모양으로 **2**개입니다.

10

채점 기준		
● 모양과 ■ 모양의 수를 구한 경우	3점	
두 모양의 수의 차를 구한 경우	3점	10점
답을 바르게 쓴 경우	4점	

6 반듯한 선이 없는 모양은 ● 모양입니다.

7 ㉠은 ■ 모양 **3**개, ▲ 모양 **1**개, ● 모양 **2**개입니다.
㉡은 ■ 모양 **3**개, ▲ 모양 **2**개, ● 모양 **2**개입니다.

8 ■ 모양 **6**개, ▲ 모양 **2**개, ● 모양 **5**개를 이용했습니다. 따라서 **2**개를 이용한 ▲ 모양을 가장 적게 이용했습니다.

10

채점 기준		
■, ▲, ● 모양의 수를 구한 경우	3점	
가장 많이 이용한 모양과 가장 적게 이용한 모양의 수의 차를 구한 경우	3점	10점
답을 바르게 쓴 경우	4점	

단원평가 2 회　　76~77쪽

1 ■에 ○표
2 ②
3 4개
4 (교차 선 그림)
5 ( )(○)( )( )
6 ㉡
7 ㉡
8 ▲
9 예) ● 모양은 반듯한 선이 없고, ▲ 모양은 반듯한 선이 있습니다.
10 예) ■ 모양 **8**개, ▲ 모양 **2**개, ● 모양 **7**개를 이용했습니다. ▶3점
따라서 가장 많이 이용한 모양과 가장 적게 이용한 모양의 수의 차는 **8**−**2**=**6**(개)입니다. ▶3점
; **6**개 ▶4점

1 선물 상자를 본뜨면 ■ 모양이 나옵니다.

2 ①, ⑤ ⇨ ● 모양 ② ⇨ ■ 모양 ③, ④ ⇨ ▲ 모양

3 ■ 모양: **4**개, ▲ 모양: **4**개, ● 모양: **2**개

5 ㉠ ▲ ㉡ ▢ ㉢ ▲ ㉣ ▲
㉠, ㉢, ㉣은 ▲ 모양이고, ㉡은 ■ 모양입니다.

창의융합+실력UP　　78~79쪽

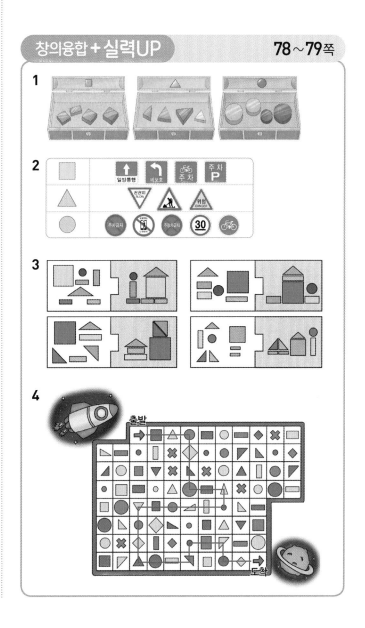

4단원 덧셈과 뺄셈 (2)

>> 이런 점에 중점을 두어 지도해요

세 수 이상의 수가 나오면 앞에서부터 차례로 계산해야 한다고 생각하는 경우가 있습니다. 하지만 10을 만들 수 있는 두 수를 찾아 먼저 더하는 것이 훨씬 계산이 빨라집니다. 세 수의 덧셈에서 합이 10이 되는 두 수를 먼저 더하고 나머지 수를 더해 보세요.

>> 이런 점이 궁금해요!!

● 10에서 빼기를 어려워 해요.
공깃돌 10개를 양손에 넣고 흔들면서 두 손으로 가른 다음 각각의 손에 몇 개씩 들어 있는지 맞춰 보세요. 이때 왼손에 있는 공깃돌의 수를 알고 오른손에 있는 공깃돌의 수를 찾아내어 보면 10에서 빼기를 학습할 수 있어요.

이전에 배운 내용 확인하기   81쪽

1 47   2 5, 13

3 24, 25, 26, 27   4 40, 30, 20, 10

1단계 | 교과서 개념   84~85쪽

확인 1 (1) $1+4+2=\boxed{7}$ (2) $8-2-4=\boxed{2}$
        $\boxed{5}$ $\boxed{6}$
        $\boxed{7}$ $\boxed{2}$

1 (1) 9 (2) 2

2 (1)   1   (2)   8
       + 3   → $\boxed{4}$ − 3   → $\boxed{5}$
       $\boxed{4}$ + 2 $\boxed{6}$ $\boxed{5}$ − 4 $\boxed{1}$
       $1+3+2=\boxed{6}$ $8-3-4=\boxed{1}$

3 (1) 8 (2) 8

4 (1) 4 (2) 3

---

3 (1) $4+3+1=8$ (2) $2+1+5=8$
       7   3
       8   8

4 (1) $9-2-3=4$ (2) $8-1-4=3$
       7   7
       4   3

1단계 | 교과서 개념   86~87쪽

확인 1 (1) 12 ; 12 (2) 12, 13 ; 13 (3) 12, 13 ; 13

1 (1) 11, 11 (2) 13, 5, 13

2 (1) 5, 12 (2) 8, 12

3 11

4 ⠿⠿

1 (1) $2+9$와 $9+2$의 계산 결과는 11로 서로 같습니다.

참고
2에서부터 9를 이어 세는 것보다 9에서부터 2를 이어 세는 것이 더 간단하기 때문에 $2+9$를 $9+2$로 바꾸어 계산하면 편리합니다.

(2) $5+8$과 $8+5$의 계산 결과는 13으로 서로 같습니다.

참고
5에서부터 8을 이어 세는 것보다 8에서부터 5를 이어 세는 것이 더 간단하기 때문에 $5+8$을 $8+5$로 바꾸어 계산하면 편리합니다.

2 (1) 7개하고 5개 더 있으므로 7하고 8, 9, 10, 11, 12입니다.

(2) 4마리하고 8마리 더 있으므로 4하고 5, 6, 7, 8, 9, 10, 11, 12입니다.

3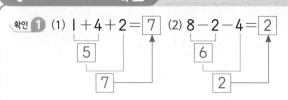
8   9 10 11

4 $3+9=12, 9+3=12$
$8+7=15, 7+8=15$
$9+7=16, 7+9=16$
두 수를 바꾸어 더해도 합이 같습니다.

2단계 | 교과서+익힘책 유형 연습　**88~89쪽**

1 (1) 3, 2, 7(또는 2, 3, 7) (2) 2, 3, 3(또는 3, 2, 3)
2 (1) 9 (2) 4　　　**3** ㉠, ㉣
4

5 8, 4, 12
6 8, 11
7 2
8 (예) 8−4−2=2, 2개
9 9−3−1=5　　**10** 6골

（6, 5 표시）

11 (예)
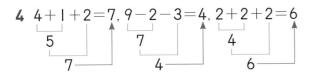
→ 2칸을 색칠했으면 정답입니다.

12 건호

3 두 수를 바꾸어 더해도 계산 결과가 같으므로 9+5와 5+9는 계산 결과가 같습니다.

4 4+1+2=7, 9−2−3=4, 2+2+2=6
（5, 7 / 7, 4 / 4, 6 표시）

5 8마리가 있는데 4마리가 더 온다면 8하고 9, 10, 11, 12입니다. ⇨ 8+4=12

6
（고리 그림: 3 4 5 6 7 8 9 10 11）
3하고 8번 더 세면 11입니다.

7 9−3−4=6−4=2

9 앞의 두 수의 뺄셈을 먼저 계산합니다.

10 2+3+1=6
（5, 6 표시）

11 8−2−4=2 ⇨ 2칸을 색칠합니다.
（6, 2 표시）

12 (가 다람쥐가 먹은 도토리의 수)=8+5=13(개)
(나 다람쥐가 먹은 도토리의 수)=5+8=13(개)
⇨ 8+5와 5+8의 계산 결과가 같으므로 바르게 말한 친구는 건호입니다.

1단계 | 교과서 개념　**90~91쪽**

확인 **1** 10　　　확인 **2** (1) 1 (2) 6

1 6, 4　　　**2** (1) 3, 10 (2) 6, 10
3 ④
4
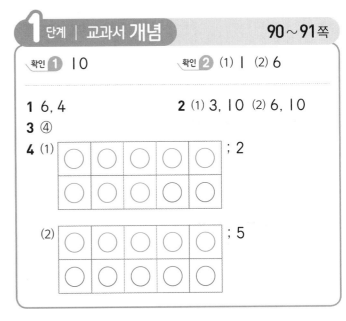
(1) ; 2
(2) ; 5

1 흰색 바둑돌이 6개, 검은색 바둑돌이 4개이면 6과 4를 더하여 10입니다.

2 (1) 딸기 맛 우유가 7개, 바나나 맛 우유가 3개이면 7과 3을 더하여 10입니다.

3 ① 2+7=9　② 5+4=9　③ 2+5=7
④ 8+2=10　⑤ 3+6=9

1단계 | 교과서 개념　**92~93쪽**

확인 **1** (1) 4 ; 4 (2) 2 ; 2　　확인 **2** 2

1 (1) ; 3
(2) ; 8
2 (1) 7 (2) 6
3 5, 5
4 (1) 9 (2) 1

1 (1) 구슬 10개 중에서 7개를 /으로 지우면 남아 있는 구슬은 3개입니다. ⇨ 10−7=3

2 (1) 주스 10잔 중에서 3잔을 마셨으므로 10−3=7(잔)이 남아 있습니다.
(2) 새 10마리 중에서 4마리가 날아갔으므로 10−4=6(마리)가 남아 있습니다.

3 검은색 바둑돌 10개와 흰색 바둑돌 5개를 하나씩 짝 지으면 검은색 바둑돌 5개가 남으므로 10−5=5입니다.

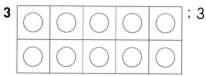

2단계 | 교과서＋익힘책 유형 연습 94～95쪽

1 2, 10

2 (1) 8 (2) 2

3

○	○	○	○	○
○	○	○	○	○

; 3

4 (1) 7 (2) 9

5 (1) 4 (2) 5

6

```
    4  ⑦  ③  5
    1  5  ⑥  ④
    7  ⑧  ②  7
    ⑨  ①  6  5
```

; 6＋4＝10, 8＋2＝10, 9＋1＝10

7 덧셈식 ⁤4＋⁤6＝⁤10 (또는 ⁤6＋⁤4＝⁤10)

   뺄셈식 ⁤10－⁤6＝⁤4 (또는 ⁤10－⁤4＝⁤6)

8 5＋5＝10, 10쪽

9 10, 2, 8

10

2＋8	3＋3	2＋4	1＋9
5＋5	4＋5	2＋7	7＋3
3＋7	6＋3	5＋5	8＋2
6＋4	8＋1	3＋2	4＋6
9＋1	3＋7	6＋2	3＋7

; 너

11 6, 부 ; 3, 모 ; 7, 님

2 (1) 펭귄 10마리에서 2마리가 이글루로 들어가면 펭귄 8마리가 남습니다.

   (2) 탬버린 10개와 캐스터네츠 8개를 하나씩 짝 지으면 탬버린이 2개 남습니다.

3 10이 되도록 ○를 그리고 세어 보면 3개이므로 7과 더해서 10이 되는 수는 3입니다.

4 (1) ○○○●●●●●●●● ⇨ 3＋7＝10

   (2) ●●●●●●●●●○ ⇨ 9＋1＝10

8 (어제와 오늘 읽은 동화책의 쪽수)
   ＝(어제 읽은 동화책의 쪽수)＋(오늘 읽은 동화책의 쪽수)
   ＝5＋5＝10(쪽)

9 시계와 단추는 ● 모양이고 나머지는 모두 ■ 모양입니다.

   ■ 모양의 수: 10개, ● 모양의 수: 2개
   ⇨ 10－2＝8

10 1＋9＝10, 2＋8＝10, 3＋7＝10, 4＋6＝10,
   5＋5＝10, 6＋4＝10, 7＋3＝10, 8＋2＝10,
   9＋1＝10

11 10에서 빼기를 한 후 차에 해당하는 글자를 찾아 쓰면 부모님입니다.

1단계 | 교과서 개념 96～97쪽

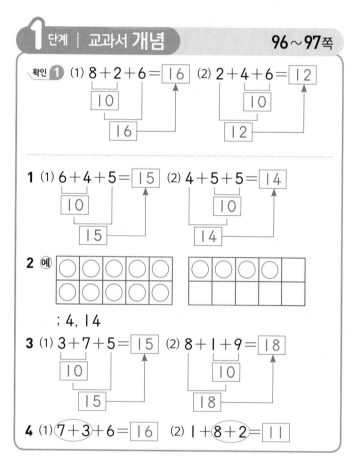

2 앞의 두 수인 2개와 8개를 그리면 10개가 됩니다.
   10개에 4개를 더하면 14개가 됩니다.

3 (1) 앞의 두 수 3과 7을 먼저 더해 10을 만든 뒤 10과 5를 더하면 15입니다.

   (2) 뒤의 두 수 1과 9를 먼저 더해 10을 만든 뒤 10과 8을 더하면 18입니다.

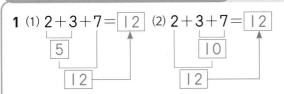

2단계 | 교과서+익힘책 유형 연습 98~99쪽

1 (1) $2+3+7=\boxed{12}$ (2) $2+3+7=\boxed{12}$
     $\boxed{5}$ $\boxed{10}$
     $\boxed{12}$ $\boxed{12}$

2 (1) 14 (2) 17 (3) 16

3

4 15 **5** 16

6 ㉢, ㉠, ㉡

7 $5, 3, 13$(또는 $3, 5, 13$)

8 예 $\boxed{5}+\boxed{5}+\boxed{4}=\boxed{14}$ (권)

9 예 세수하러 왔다가 물만 먹고 가지요

10 13개, 13개, 15개

---

1 앞의 두 수를 먼저 더하여 계산한 결과와 뒤의 두 수를 먼저 더하여 계산한 결과는 같습니다.

3 $8+2+3=13$ | $5+6+4=15$ | $7+5+5=17$
     10 10 10
     13 15 17
$10+3=13$ | $5+10=15$ | $7+10=17$

4 $5+4+6=15$
     10
     15

5 $6+3+7=6+10=16$

6 ㉠ $5+5+5=15$ ㉡ $7+3+4=14$
   ㉢ $8+1+9=18$
   ⇨ $18>15>14$이므로 계산 결과가 큰 것부터 차례로 기호를 쓰면 ㉢, ㉠, ㉡입니다.

7 파란색 색연필 5자루와 빨간색 색연필 5자루를 더한 뒤 노란색 색연필 3자루를 더합니다.

9 $4+3+7=4+10=14$

10 · ▨ 모양: $5+5+3=13$(개)
    · ▲ 모양: $3+4+6=13$(개)
    · ● 모양: $5+7+3=15$(개)

3단계 | 서술형 문제 해결 100~101쪽

1 ❶ 3 ❷ 3
   ; 3

2 ❶ $9, 15$ ❷ 15
   ; 15

3 ❶ 2 ❷ $2, 2, 3$
   ; 3

4 예 ❶ 동화책을 빌려 갔으므로 뺄셈식을 쓰면
       $9-4-3$입니다. ▶3점
     ❷ 따라서 학급 문고에 남아 있는 동화책은
       $9-4-3=5-3=2$(권)입니다. ▶3점
   ; 2권 ▶4점

채점 기준		
뺄셈식을 쓴 경우	3점	
남아 있는 동화책 수를 구한 경우	3점	10점
답을 바르게 쓴 경우	4점	

단원평가 ①회 102~103쪽

1 14

2 7

3 (1) $1+2+4=\boxed{7}$ (2) $4+2+8=\boxed{14}$
     $\boxed{3}$ $\boxed{10}$
     $\boxed{7}$ $\boxed{14}$

4 (1) ⑧ 3 ② ; 13 (2) ⑥ ④ 7 ; 17

5 3

6

7 9

8 $10-6=4$, 4개

9 3

10 예 처음에 있던 색종이의 수에서 사용한 색종이의 수를 빼면 뺄셈식 $8-4-2$로 나타낼 수 있습니다. ▶3점
    ⇨ $8-4-2=4-2=2$(장)
    따라서 남은 색종이는 2장입니다. ▶3점
   ; 2장 ▶4점

본책

1 파란 모형 **9**개하고 빨간 모형 **5**개가 더 있으므로 **9**하고 **10, 11, 12, 13, 14**입니다.

2 아이스크림과 숟가락을 하나씩 짝 지었을 때 짝 지어지지 않은 아이스크림 수를 세어 보면 **7**개입니다.

3 (1) 왼쪽에서부터 두 수씩 차례로 더합니다.
(2) 합이 **10**인 두 수를 먼저 더하면 편리합니다.

4 (1) **8**과 **2**의 합이 **10**입니다.

$$8+2+3=13$$

(2) **6**과 **4**의 합이 **10**입니다.

$$6+4+7=17$$

5 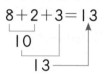 ⇨ $7+\boxed{3}=10$
↳ 3개를 그리면 모두 10개입니다.

6 $5+3+1=9$ $5+3=8$
$2+3+7=12$ $2+10=12$
$1+4+3=8$ $8+1=9$

7 $3+2+4=9$

8 펴고 있는 손가락의 수를 세면 **6**개입니다.
(접고 있는 손가락의 수)
=(전체 손가락의 수)−(펴고 있는 손가락의 수)
=**10**−**6**=**4**(개)

9 가장 큰 수: **8**
나머지 두 수: **2, 3**
⇨ $8-2-3=3$

10

채점 기준		
남은 색종이의 수를 구하는 뺄셈식을 쓴 경우	3점	
남은 색종이의 수를 구한 경우	3점	10점
답을 바르게 쓴 경우	4점	

---

1 10   **2** 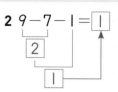 $9-7-1=\boxed{1}$

3 $\boxed{1}+\boxed{4}+\boxed{4}=\boxed{9}$
(또는 $\boxed{4}+\boxed{1}+\boxed{4}=\boxed{9}$, $\boxed{4}+\boxed{4}+\boxed{1}=\boxed{9}$)

4 $4+8+2=14$ **5** 5

6

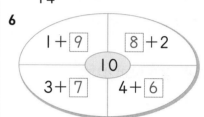

7 (1) $\boxed{1}+\boxed{3}+\boxed{5}=\boxed{9}$
(2) $\boxed{7}-\boxed{4}-\boxed{2}=\boxed{1}$

8 13개   **9** 12

10 예 10명 중에서 2명이 ×라고 답했으므로 ○라고 답한 사람은 10−2▸3점=8(명)입니다.▸3점
; 8명▸4점

4 더해서 **10**이 되는 두 수를 먼저 더합니다.
$4+\underline{8+2}=4+10=14$

5 ○○○○○○○/○○○○○
⇨ $10-5=5$

6 $1+9=10, 8+2=10, 3+7=10, 4+6=10$

7 (1) 도+미+솔 ⇨ $1+3+5=4+5=9$
(2) 시−파−레 ⇨ $7-4-2=3-2=1$

8 $7+6=13$(개)

9 $10-3=7$이므로 ■=**7**이고 ■+5=7+5=12이므로 ▲=**12**입니다.

10

채점 기준		
뺄셈식을 쓴 경우	3점	
○라고 답한 사람의 수를 구한 경우	3점	10점
답을 바르게 쓴 경우	4점	

창의융합+실력UP   106~107쪽

1 ; 6

2 ; 3

3 ; 2

4 9, 7, 5, 1

5

4-2 5-2-2 10-6 1+6+2 4+8+2 10-2 5+5

2 9 8 1 10 4 14

6

;

1 4에 6을 더하면 10이 됩니다. ⇨ 4+6=10

2 7을 더하여 10이 되는 수는 3입니다.
   ⇨ 3+7=10

4 ㉠ 1+6+2=9 ㉡ 9-5-3=1
   ㉢ 5+1+1=7 ㉣ 10-5=5
   9>7>5>1 ⇨ 비밀번호는 9751입니다.

5 5-2-2=3-2=1, 10-6=4,
   1+6+2=7+2=9, 4+8+2=4+10=14,
   10-2=8, 5+5=10

6 • 하트 수는 6이고 6과 더해서 10이 되는 수는 4이므
   로 스페이드 수는 4입니다.
   • 4-2-1=1, 4-1-2=1, 4-3-0=1,
   4-0-3=1 ……인데 다이아몬드 수와 클로버 수
   의 차는 1이므로 두 수는 1과 2입니다.
   클로버 수가 가장 적으므로 다이아몬드 수는 2, 클로
   버 수는 1입니다.

5 단원 시계 보기와 규칙 찾기

>> 이런 점에 중점을 두어 지도해요

시계 보기는 학생들의 실생활 경험과 관련지어 시각의
쓰임을 알게 합니다. 하루 동안 있었던 일을 시각으로 표
현하고 시계를 이용하여 바르게 말하고 나타내게 함으로
써 올바르게 시계를 사용하는 방법을 알게 합니다.
규칙 찾기는 미래를 예측하고 추측하는 데 매우 중요한
역할을 합니다. 실생활 장면을 통하여 새로운 규칙을 만
들거나 자신이 창의적으로 만든 여러 가지 형태의 규칙
을 정하고, 그 규칙에 따라 새로운 표현을 만들어 내도록
해도 좋습니다.

>> 이런 점이 궁금해요!!

• 긴바늘이 6을 가리킬 때 시계를 보는 방법을 헷갈려해요.
  짧은바늘이 지나온 숫자와 지나갈 숫자의 가운데(사
  이)를 가리킬 때, 지나온 숫자를 보고 '○시 30분'이라
  고 말합니다. 예를 들어 짧은바늘이 숫자 8과 9 사이
  에 있으면 8은 지났고 9는 아직 지나지 않았으므로 8
  시 30분이라고 읽습니다.
• 가정에서 규칙 찾기 학습을 어떻게 해야 하나요?
  집안에서뿐만 아니라 가족과 함께 가는 모든 곳에서
  규칙을 찾을 수가 있습니다. 어떤 규칙에 따라 옷을 정
  리하면 좋을지 이야기해 보거나 숟가락, 젓가락을 놓
  으면서도 규칙을 찾을 수 있습니다.

이전에 배운 내용 확인하기   109쪽

1단계 | 교과서 개념 112~113쪽

확인 1 7, 7, 일곱

확인 2 (1) (2)

1 (1) 3 (2) 6   2 (1) 7시 (2) 5시
3 (1) (2)
  (3) (4)

확인 2 (1) 2시이므로 짧은바늘이 2를 가리키고, 긴바늘이 12를 가리키도록 나타냅니다.
   (2) 5시이므로 짧은바늘이 5를 가리키고, 긴바늘이 12를 가리키도록 나타냅니다.

1 (1) 3 : 00에서 :의 앞의 수가 3이고, :의 뒤의 수가 0이므로 3시입니다.
  (2) 짧은바늘이 6을 가리키고, 긴바늘이 12를 가리키므로 6시입니다.

2 (1) 7 : 00에서 :의 앞의 수가 7이고, :의 뒤의 수가 0이므로 7시입니다.
  (2) 짧은바늘이 5를 가리키고, 긴바늘이 12를 가리키므로 5시입니다.

3 (1) 4시이므로 짧은바늘이 4를 가리키고, 긴바늘이 12를 가리키도록 나타냅니다.
  (2) 3시이므로 짧은바늘이 3을 가리키고, 긴바늘이 12를 가리키도록 나타냅니다.
  (3) 11시이므로 짧은바늘이 11을 가리키고, 긴바늘이 12를 가리키도록 나타냅니다.
  (4) 1시이므로 짧은바늘이 1을 가리키고, 긴바늘이 12를 가리키도록 나타냅니다.

1단계 | 교과서 개념 114~115쪽

확인 1 6, 4

확인 2 (1) (2)

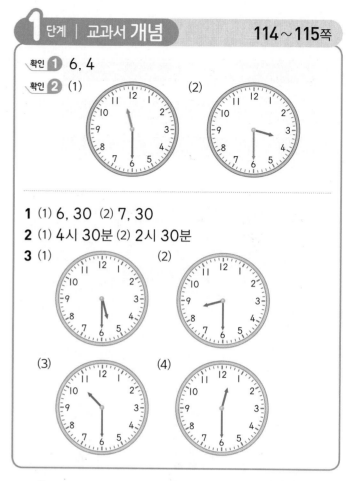

1 (1) 6, 30 (2) 7, 30
2 (1) 4시 30분 (2) 2시 30분
3 (1) (2)
  (3) (4)

확인 2 (1) 11시 30분이므로 짧은바늘이 11과 12 사이, 긴바늘이 6을 가리키도록 나타냅니다.
   (2) 3시 30분이므로 짧은바늘이 3과 4 사이, 긴바늘이 6을 가리키도록 나타냅니다.

1 (1) 6 : 30에서 :의 앞의 수가 6이고, :의 뒤의 수가 30이므로 6시 30분입니다.
  (2) 짧은바늘이 7과 8 사이, 긴바늘이 6을 가리키므로 7시 30분입니다.

2 (1) 4 : 30에서 :의 앞의 수가 4이고, :의 뒤의 수가 30이므로 4시 30분입니다.
  (2) 짧은바늘이 2와 3 사이, 긴바늘이 6을 가리키므로 2시 30분입니다.

3 (1) 5시 30분이므로 짧은바늘이 5와 6 사이, 긴바늘이 6을 가리키도록 나타냅니다.
  (2) 8시 30분이므로 짧은바늘이 8과 9 사이, 긴바늘이 6을 가리키도록 나타냅니다.
  (3) 10시 30분이므로 짧은바늘이 10과 11 사이, 긴바늘이 6을 가리키도록 나타냅니다.
  (4) 12시 30분이므로 짧은바늘이 12와 1 사이, 긴바늘이 6을 가리키도록 나타냅니다.

2단계 | 교과서+익힘책 유형 연습 116~117쪽

1 (1) 12 (2) 6, 30
2 ( )( )(○)
3 (1)  (2)
4 동규
5  ; 10시 30분
6
7 10시　　　　　　8 8시 30분
9  영화를 관람한 시각　학원에 간 시각
10 8, 30, 9
11 예 1시 30분에 친구들과 놀이터에서 놀았습니다. ▶5점
　4시에 집에서 만화 영화를 보았습니다. ▶5점
12 ( )(△)( )

1 (1) 짧은바늘이 12를 가리키고, 긴바늘이 12를 가리키
므로 12시입니다.
(2) 짧은바늘이 6과 7 사이, 긴바늘이 6을 가리키므로
6시 30분입니다.

3 (1) 3시이므로 긴바늘이 12를 가리키도록 그립니다.
(2) 11시 30분이므로 짧은바늘이 11과 12 사이를 가
리키도록 그립니다.

4 짧은바늘이 12와 1 사이, 긴바늘이 6을 가리키므로
12시 30분입니다.

5 짧은바늘이 10과 11 사이, 긴바늘이 6을 가리키도록
그리면 시각은 10시 30분입니다.

6 • 왼쪽 위의 시계는 짧은바늘이 4를 가리키고, 긴바늘이
12를 가리키므로 4시입니다.
• 왼쪽 아래의 시계는 짧은바늘이 7과 8 사이, 긴바늘
이 6을 가리키므로 7시 30분입니다.

7 수업을 들은 장면의 시각을 알아보면 짧은바늘이 10을
가리키고, 긴바늘이 12를 가리키므로 10시입니다.

8 텔레비전을 본 장면의 시각을 알아보면 짧은바늘이 8과
9 사이, 긴바늘이 6을 가리키므로 8시 30분입니다.

9 • 영화를 관람한 시각은 2시 30분이므로 짧은바늘이
2와 3 사이, 긴바늘이 6을 가리키도록 나타냅니다.
• 학원에 간 시각은 6시이므로 짧은바늘이 6을 가리키
고, 긴바늘이 12를 가리키도록 나타냅니다.

10 세수를 한 시각은 짧은바늘이 8과 9 사이, 긴바늘이 6
을 가리키므로 8시 30분입니다.
잠을 잔 시각은 짧은바늘이 9를 가리키고, 긴바늘이 12
를 가리키므로 9시입니다.

11
채점 기준		
1시 30분을 넣어 어제 있었던 일을 쓴 경우	5점	10점
4시를 넣어 어제 있었던 일을 쓴 경우	5점	

12 긴바늘이 6을 가리킬 때 짧은바늘은 숫자와 숫자 사이
에 있어야 합니다.

1단계 | 교과서 개념 118~119쪽

확인 1 와 가 반복되는 규칙입니다.
확인 2 이 반복되는 규칙입니다.

1 (2) ⭐ ☀ ☀이 반복되는 규칙이므로 빈칸에 알맞은 모양은 ☀입니다.

2 토끼—토끼—돼지—돼지가 반복되는 규칙이므로 빈칸에 알맞은 동물은 돼지입니다.

3 △△◯가 반복되는 규칙이므로 빈칸에 알맞은 모양은 △◯◯△△◯입니다.

4 연필—지우개가 반복되는 규칙입니다.

> **참고**
>
> 반복되는 규칙을 찾을 때에는 반복되는 부분이 끝날 때마다 /으로 구분을 하면 규칙을 찾기 쉽습니다.
>
>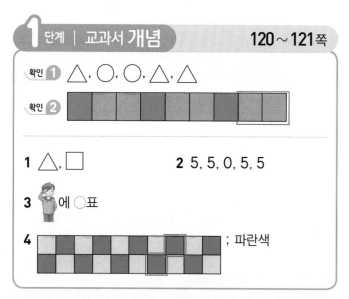

1단계 | 교과서 개념   120~121쪽

확인 ① △, ◯, ◯, △, △

확인 ② (정답 그림)

1 △, □

2 5, 5, 0, 5, 5

3 에 ◯표

4 (정답 그림) ; 파란색

확인 ① 토끼—토끼—강아지—강아지가 반복되는 규칙입니다. 토끼는 ◯, 강아지는 △로 나타냈으므로 빈칸에 △, ◯, ◯, △, △를 차례로 그립니다.

확인 ② 초록색—주황색—주황색이 반복되는 규칙이므로 빈칸을 모두 주황색으로 색칠합니다.

1 축구공—농구공이 반복되는 규칙입니다. 축구공은 △, 농구공은 □로 나타냈으므로 빈칸에 △, □를 차례로 그립니다.

2 바위—보—보가 반복되는 규칙입니다. 바위는 0, 보는 5로 나타냈으므로 빈칸에 알맞은 수는 5, 5, 0, 5, 5입니다.

3 남학생—치마를 입은 여학생—바지를 입은 여학생이 반복되는 규칙입니다. 따라서 빈칸에는 남학생이 들어가야 합니다.

4 첫째 줄에서 노란색 다음은 파란색이므로 빈칸은 파란색으로 색칠합니다. 둘째 줄에서 노란색 다음은 파란색이므로 빈칸은 파란색으로 색칠합니다.

2단계 | 교과서+익힘책 유형 연습   122~123쪽

1 (정육면체 그림)에 ◯표

2 (곰 그림)에 ◯표

3 (정답 그림)

4 (정답 그림)

5 1에 ◯표, 2에 ◯표

6 파란색, 파란색, 빨간색

7 빨간색

8 예 빨간색 —초록색 불이 반복되어 켜집니다.

9 ◯, □, ◯, ◯

10 빨간색

11 (   ) (◯)

12 △ ; 예 트라이앵글, 교통 표지판 등

13 예

◯	♡	◯	♡	◯	♡	◯	♡
♡	◯	♡	◯	♡	◯	♡	◯

14 3개

1 (직육면체)(원기둥)(구)이 반복되는 규칙이므로 □ 안에 알맞은 모양은 (직육면체)입니다.

2 곰—곰—돼지가 반복되는 규칙이므로 □ 안에 알맞은 동물은 곰입니다.

3 바깥쪽은 모두 빨간색이고 안쪽은 노란색과 파란색이 반복되는 규칙입니다.

4 초록색과 빨간색의 위치를 서로 바꾸어 가며 색칠하는 규칙입니다.

7 노란색—파란색—파란색—빨간색 책이 반복되는 규칙이므로 책꽂이의 빈 곳에 꽂아야 할 책은 빨간색입니다.

9 빗자루—빗자루—쓰레받기가 반복되는 규칙입니다. 빗자루는 ◯로, 쓰레받기는 ☐로 나타냈으므로 빈칸에 ◯, ☐, ◯, ◯를 차례로 그립니다.

10 빨간색—노란색—검은색 옷이 반복되는 규칙입니다. 토요일에 검은색 옷을 입었으므로 일요일에 빨간색 옷을 입었습니다.

11 검은색 바둑돌 2개와 흰색 바둑돌 1개가 반복되는 규칙입니다.

12 ▲ ▲ ● 가 반복되는 규칙이므로 ☐ 안에 알맞은 모양은 ▲입니다. ▲ 모양의 물건을 찾아 쓰면 정답입니다.

14 펼친 손가락 2개와 1개가 반복되는 규칙이므로 빈칸에는 차례로 펼친 손가락 2개, 펼친 손가락 1개가 들어갑니다. ⇨ 2+1=3(개)

1단계 | 교과서 개념   124~125쪽

확인 ① 32, 34

확인 ②

21	22	23	24	25	26	27	28	29	30
31	32	33	34	35	36	37	38	39	40
41	42	43	44	45	46	47	48	49	50
51	52	53	54	55	56	57	58	59	60

1 (1) 5   (2) 98, 96   **2** 4

3

31	32	33	34	35	36	37	38	39	40
41	42	43	44	45	46	47	48	49	50
51	52	53	54	55	56	57	58	59	60
61	62	63	64	65	66	67	68	69	70

4 1, 10

---

1 (1) 5와 9가 반복되는 규칙이므로 빈칸에 알맞은 수는 5입니다.

(2) 99부터 시작하여 1씩 작아지는 규칙이므로 99, 98, 97, 96, 95, 94입니다.

2 색칠한 수는 3, 7, 11, 15, 19, 23, 27, 31, 35, 39로 3부터 시작하여 4씩 커지는 규칙입니다.

3 31부터 시작하여 3씩 커지는 수에 색칠하는 규칙입니다.

2단계 | 교과서+익힘책 유형 연습   126~127쪽

1 17, 25   **2** 31, 21
3 9, 7   **4** 19, 25, 29
5 30, 22, 10
6 예 31부터 시작하여 오른쪽으로 1칸 갈 때마다 1씩 커집니다.
7 예 7부터 시작하여 아래쪽으로 1칸 갈 때마다 10씩 커집니다.
8 48, 49, 50
9 예 10부터 시작하여 1씩 작아집니다.

10

61	62	63	64	65	66	67	68	69	70
71	72	73	74	75	76	77	78	79	80
81	82	83	84	85	86	87	88	89	90
91	92	93	94	95	96	97	98	99	100

11

31	32	33	34	35	36	37	38	39	40
41	42	43	44	45	46	47	48	49	50
51	52	53	54	55	56	57	58	59	60

; 예 32부터 시작하여 4씩 커지는 수에 색칠했습니다.

12 51, 54, 57, 60
13 7, 9
14 예 • 오른쪽으로 1칸 갈 때마다 1씩 커집니다.
       • 아래쪽으로 1칸 갈 때마다 3씩 작아집니다.

15

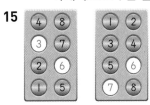

1 9부터 시작하여 4씩 커지는 규칙입니다.

2 46부터 시작하여 5씩 작아지는 규칙입니다.

3 7과 9가 반복되는 규칙입니다.

4 17부터 시작하여 2씩 커지는 규칙이므로
17, 19, 21, 23, 25, 27, 29입니다.

5 34부터 시작하여 4씩 작아지는 규칙이므로
34, 30, 26, 22, 18, 14, 10입니다.

6 수 배열표에서 가로로 있는 수는 오른쪽으로 1칸 갈 때
마다 1씩 커집니다.

7 수 배열표에서 세로로 있는 수는 아래쪽으로 1칸 갈 때
마다 10씩 커집니다.

8 오른쪽으로는 1씩 커지고, 아래쪽으로는 10씩 커지는
규칙에 맞게 수 배열표를 완성합니다.

9 10부터 시작하여 1씩 작아지는 규칙입니다.

10 61, 63, 65, 67, 69, 71, 73, 75이므로
61부터 시작하여 2씩 커지는 수에 색칠한 규칙입니다.

11 색칠한 수는 32, 36, 40, 44, 48, 52로 32부터 시
작하여 4씩 커지는 수에 색칠한 규칙입니다.

12 21부터 시작하여 3씩 커지는 규칙입니다. 따라서 색칠
한 칸에 알맞은 수는 51, 54, 57, 60입니다.

13 가운데 수는 양쪽의 수를 더한 수입니다.
따라서 빈칸에 알맞은 수는 3과 4를 더한 7, 4와 5를
더한 9입니다.

14 • 왼쪽으로 1칸 갈 때마다 1씩 작아집니다.
　 • 위쪽으로 1칸 갈 때마다 3씩 커집니다.
　 • ↘ 방향으로 갈수록 2씩 작아집니다.
　 • ↙ 방향으로 갈수록 4씩 작아집니다.

15 왼쪽 수 배열은 위쪽으로 1칸 갈 때마다 1씩 커지고 오
른쪽으로 1칸 갈 때마다 4씩 커지는 규칙입니다.
오른쪽 수 배열은 아래쪽으로 1칸 갈 때마다 2씩 커지
고 오른쪽으로 1칸 갈 때마다 1씩 커지는 규칙입니다.

3단계 | 서술형 문제 해결 　　128～129쪽

1 ❶ 5, 30, 4, 30　❷ 주영 ; 주영
2 ❶ 4　❷ 4, 69 ; 69
3 ❶ 2, 2, 2, 2　❷ 2, 21 ; 21
4 예 ❶ 수 카드에 적힌 수는 3, 3, 9가 반복되는 규칙입
니다. ▶3점
　　❷ 따라서 맨 오른쪽에 놓인 수 카드에 알맞은 수는
3, 3, 9의 두 번째 수인 3입니다. ▶3점
　; 3 ▶4점

채점 기준		
수 카드를 늘어놓은 규칙을 찾은 경우	3점	
맨 오른쪽에 놓인 수 카드에 알맞은 수를 구한 경우	3점	10점
답을 바르게 쓴 경우	4점	

단원평가 ①회 　　130～131쪽

1 10, 12　　　　　　　**2** ④
3
4

출발 시각	도착 시각

5 예 손잡이의 색깔이 빨간색―노란색―초록색이 반복
됩니다.
6 5, 1, 5
7 예
(여러 가지 무늬로 꾸밀 수 있습니다.)
8 11, 16, 21
9 재연
10 예 • 남자―남자―여자의 순서로 서 있습니다. ▶5점
　　• 남자는 두 손을, 여자는 한 손을 들고 있습니다.
　　　　　　　　　　　　　　　　　　　▶5점

1 긴바늘이 12시를 가리키면 '몇 시'입니다.
따라서 10시일 때 시계의 짧은바늘은 10을 가리키고,
긴 바늘은 12를 가리킵니다.

2 ① 10시 30분　　② 6시
③ 2시　　　　　　④ 2시 30분
⑤ 4시

3 □ □ ○이 반복되는 규칙입니다.

4 출발 시각: 8시 30분이므로 짧은바늘이 8과 9 사이,
긴바늘이 6을 가리키도록 나타냅니다.
도착 시각: 11시이므로 짧은바늘이 11을 가리키고, 긴
바늘이 12를 가리키도록 나타냅니다.

5 손잡이의 색깔이 빨간색 − 노란색 − 초록색이 반복되
고 있습니다.

6 500원−100원−500원이 반복되는 규칙입니다.
500원은 5로, 100원은 1로 나타냈으므로 빈칸에 5,
1, 5를 차례로 써넣습니다.

8 수 배열표에서 ……에 있는 수는 오른쪽으로 1칸 갈 때
마다 5씩 커집니다. 같은 규칙으로 6부터 시작하여 5씩
커지도록 수를 차례로 쓰면 6, 11, 16, 21입니다.

9 아버지가 들어온 시각: 9시
어머니가 들어온 시각: 7시 30분
재연이가 들어온 시각: 8시
동생이 들어온 시각: 6시 30분
⇨ 동생, 어머니, 재연, 아버지 순서로 들어왔으므로 가
장 늦게 들어온 사람은 아버지이고 두 번째로 늦게 들
어온 사람은 재연이입니다.

참고
가장 빠른 시각은 6시 30분이고, 가장 늦은 시각은
9시입니다.

10

채점 기준		
학생들이 서 있는 규칙을 1가지 쓴 경우	5점	10점
학생들이 서 있는 다른 규칙을 1가지 쓴 경우	5점	

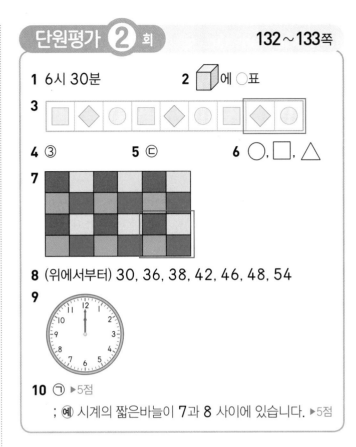

단원평가 ② 회　　132~133쪽

1 6시 30분　　**2** ☐에 ○표
3
4 ③　　　**5** ⓒ　　　**6** ○, □, △
7
8 (위에서부터) 30, 36, 38, 42, 46, 48, 54
9
10 ㉠ ▶5점
; 예 시계의 짧은바늘이 7과 8 사이에 있습니다. ▶5점

1 짧은바늘이 6과 7 사이, 긴바늘이 6을 가리키므로 6시
30분입니다.

2 ☐ ⬭ ⬕이 반복되는 규칙입니다.

3 □ ◇ ○이 반복되는 규칙입니다.

7 첫째 줄과 셋째 줄은 빨간색−노란색이 반복되고, 둘째
줄과 넷째 줄은 초록색−파란색이 반복되는 규칙입니다.

8 색칠한 칸의 수는 ↗ 방향으로 6씩 커지고, ↘ 방향으로
8씩 커집니다.

참고
주어진 수 배열표에서 가로로 있는 수는 오른쪽으로
1칸 갈 때마다 1씩 커지고, 세로로 있는 수는 아래쪽
으로 1칸 갈 때마다 7씩 커집니다. 이 규칙을 이용하
여 색칠한 칸에 알맞은 수를 써넣을 수도 있습니다.

9 짧은바늘과 긴바늘이 같은 숫자를 가리키는 시각은 두
바늘이 모두 12를 가리키는 12시입니다.

10

채점 기준		
옳지 않은 것의 기호를 바르게 쓴 경우	5점	10점
옳지 않은 부분을 바르게 고친 경우	5점	

본책

창의융합+실력UP   134~135쪽

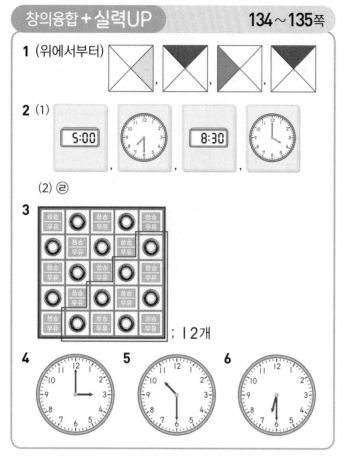

1 (위에서부터) ◨, ◨, ◨, ◨

2 (1) 5:00, 🕐, 8:30, 🕐

(2) ㉣

3 ; 12개

4 🕒 **5** 🕥 **6** 🕡

---

1 빨간색―노란색―파란색―초록색이 반복되고, 색칠된 곳이 시계 방향으로 옮겨지는 규칙입니다.

2 (1) ㉠ 5시   ㉡ 7시 30분
        ㉢ 8시 30분   ㉣ 4시
   (2) 4시를 나타내는 ㉣이 가장 빠른 시각을 나타냅니다.

> **참고**
>
> 가장 빠른 시각은 4시이고, 가장 늦은 시각은 8시 30분 입니다.

3 우유―빵을 반복하여 담는 규칙입니다.
   따라서 상자에 담을 수 있는 빵은 모두 12개입니다.

4 수영하기는 3시이므로 짧은바늘이 3을 가리키고, 긴바 늘이 12를 가리키도록 나타냅니다.

5 발레하기는 10시 30분이므로 짧은바늘이 10과 11 사이, 긴바늘이 6을 가리키도록 나타냅니다.

6 공부하기는 6시 30분이므로 짧은바늘이 6과 7 사이, 긴바늘이 6을 가리키도록 나타냅니다.

---

6 단원 덧셈과 뺄셈 (3)

> **≫ 이런 점에 중점을 두어 지도해요**

앞에서 배웠던 받아올림과 받아내림이 없는 두 자리 수 의 덧셈과 뺄셈, 세 수의 덧셈과 뺄셈을 바탕으로 10을 이용한 수의 모으기와 가르기를 다룬 후 덧셈과 뺄셈에 서 가장 중요한 받아올림과 받아내림이 있는 덧셈과 뺄 셈을 중심으로 다룹니다. 학생들이 다양한 실생활 속에 서 덧셈과 뺄셈 상황을 인식하고 적절한 연산을 선택하 여 해결할 수 있도록 합니다.

> **≫ 이런 점이 궁금해요!!**

● 이미 9 이하의 수 가르기와 모으기를 배웠는데 새삼스럽 게 10을 가르기와 10이 되도록 모으기를 학습하는 이 유가 무엇일까요?
   9 이하의 수의 가르기와 모으기를 배우는 것은 더하기 와 빼기의 기초 개념을 익히기 위한 것입니다. 10 가 르기와 모으기 활동은 10의 보수 관계를 알고, 받아 올림이 있는 덧셈과 받아내림이 있는 뺄셈에 대한 선 행 개념을 형성하기 위한 것입니다.

● 15−8=13이라고 대답하면 어떻게 지도해야 할까요?
   10 가르기를 잘 이해하지 못했기 때문입니다. 일의 자리 뺄셈을 할 때 5에서 8을 뺄 수 없으니까 큰 수인 8에서 5를 뺀 것입니다. 10 가르기를 다시 한 번 학 습할 필요가 있습니다.

이전에 배운 내용 확인하기   137쪽

1 1, 3, 2, 6

2 (1) $4+5+5=14$

$$\underbrace{}_{10}$$ 14

   (2) $2+7+3=12$

$$\underbrace{}_{10}$$ 12

3 (1) 2 (2) 3

3 (1) $7-2-3=5-3=2$
   (2) $9-3-3=6-3=3$

1단계 | 교과서 개념　140~141쪽

확인 1 (1) 12, 2　(2) 16, 6

1 (1) 12　(2) 2

2 (1) 예 ; 13, 3

　(2) 예 ; 14, 14, 4

3 (1) 12, 2　(2) 11, 1

확인 1 (1) 딸기 5개와 사과 7개를 모으면 12개입니다.
　　사과를 왼쪽으로 옮겨서 10개를 만들면 10과 2
　　로 가르기를 할 수 있습니다.
　(2) 초록색 모형 8개와 노란색 모형 8개를 모으면
　　16개입니다. 노란색 모형을 왼쪽으로 옮겨서
　　10개를 만들면 10과 6으로 가르기를 할 수 있
　　습니다.

1 (1) 밤 8개와 도토리 4개를 모으면 12개입니다.
　(2) 도토리를 왼쪽으로 옮겨서 10개를 만들면 10과 2
　　로 가르기를 할 수 있습니다.

2 (1) 7과 6을 모으면 10과 3이 되어 13이고, 13은
　　10과 3으로 가르기를 할 수 있습니다.
　(2) 9와 5를 모으면 10과 4가 되어 14이고, 14는
　　10과 4로 가르기를 할 수 있습니다.

3 (1) 7과 5를 모으면 10과 2가 되어 12가 됩니다.
　　12는 10과 2로 가르기를 할 수 있습니다.
　(2) 9와 2를 모으면 10과 1이 되어 11이 됩니다.
　　11은 10과 1로 가르기를 할 수 있습니다.

1단계 | 교과서 개념　142~143쪽

확인 1 (왼쪽에서부터) 4, 14

1 (1) 12, 13　(2) 14, 13

2 (왼쪽에서부터) 5, 13

3 (1) (왼쪽에서부터) 6, 13　(2) (왼쪽에서부터) 3, 12

4 (1) 13, 13, 13　(2) (위에서부터) 13, 12, 13

확인 1 8을 4와 4로 가르기를 하여 6과 4를 먼저 더해
10을 만들고 남은 4를 더하면 14입니다.

1 (1) 왼쪽 수는 항상 6이고, 오른쪽 수는 5부터 1씩 커지
　　는 수를 더하면 11, 12, 13으로 합도 1씩 커집니
　　다.
　(2) 오른쪽 수는 항상 9이고, 왼쪽 수는 6부터 1씩 작아
　　지는 수를 더하면 15, 14, 13으로 합도 1씩 작아
　　집니다.

2 8을 3과 5로 가르기를 하여 5와 뒤의 수 5를 먼저 더
해 10을 만들고 남은 3을 더하면 13입니다.

3 (1) 4+9=4+6+3=10+3=13
　(2) 5+7=2+3+7=2+10=12

4 (1) 7+6=13, 8+5=13, 9+4=13
　(2) 4+9=13, 5+7=12, 5+8=13

2단계 | 교과서+익힘책 유형 연습　144~145쪽

1 12, 2

2 (왼쪽에서부터) 1, 16

3 (1) (왼쪽에서부터) 2, 14　(2) (왼쪽에서부터) 1, 13

4 (1) 14　(2) 16　　　　5 13, 14, 15

6 ( )( )(○)

7

8 >

9 5+8=13 ; 13쪽

10 (1) 7개　(2) 8, 7, 15

11 17, 17, 7 ; 7개

12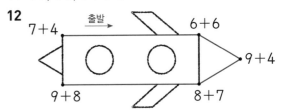

13 8

1 8과 4를 모으면 10과 2가 되어 12가 됩니다.
12는 10과 2로 가르기를 할 수 있습니다.

2 7을 1과 6으로 가르기를 하여 9와 1을 먼저 더해 10을 만들고 남은 6을 더하면 16입니다.

3 (1) 6을 2와 4로 가르기를 하여 8과 2를 먼저 더해 10을 만들고 남은 4를 더하면 14입니다.

$$8 + 6 = 14$$
$$\quad\; 2\;\; 4$$

(2) 4를 3과 1로 가르기를 하여 9와 1을 먼저 더해 10을 만들고 남은 3을 더하면 13입니다.

$$4 + 9 = 13$$
$$3\;\; 1$$

4 (1) $9 + 5 = 14$
$$\quad\; 1\;\; 4$$
(2) $8 + 8 = 16$
$$6\;\; 2$$

5 오른쪽 수는 항상 같고 왼쪽 수는 5부터 1씩 커지면 합도 1씩 커집니다.

6 $9 + 6 = 15, 8 + 6 = 14, 5 + 8 = 13$
따라서 합이 13인 덧셈식은 $5 + 8$입니다.

7 $6 + 6 = 12, 9 + 4 = 13, 6 + 8 = 14$

8 $7 + 6 = 13, 3 + 9 = 12$
⇨ $13 > 12$

9 (어제 읽은 쪽수)+(오늘 읽은 쪽수)
$= 5 + 8 = 13$(쪽)

10 8개의 타일이 붙어 있고 7개를 더 붙여야 합니다.
⇨ $8 + 7 = 15$(개)

11 17은 10과 7로 가르기를 할 수 있습니다.
상자 10칸에 초콜릿을 담으면 상자에 담고 남은 초콜릿은 7개입니다.

12 $7 + 4 = 11, 6 + 6 = 12, 9 + 4 = 13,$
$8 + 7 = 15, 9 + 8 = 17$

13 준수가 꺼낸 공에는 9와 5가 적혀 있으므로
$9 + 5 = 14$입니다.
시아가 꺼낸 공에 적힌 두 수의 합이 준수보다 크려면 14보다 커야 하므로 남은 공 중에서 8이 적힌 공을 꺼내야 합니다.
⇨ $7 + 8 = 15$

> **참고**
>
> 준수가 꺼낸 수의 합이 $9 + 5 = 14$이므로 시아가 꺼낸 수의 합이 14보다 커야 합니다.
> $7 + 8$과 $7 + 9$가 14보다 크지만 준수가 이미 9를 꺼냈으므로 시아는 8이 적힌 공을 꺼내야 합니다.

1단계 | 교과서 개념　146～147쪽

확인 1 8

1 (1) (왼쪽에서부터) 1, 6
(2) (왼쪽에서부터) 3, 7
2 7
3 (1) (왼쪽에서부터) 2, 8
(2) (왼쪽에서부터) 5, 5
4 (1) (왼쪽에서부터) 5, 9
(2) (왼쪽에서부터) 2, 5

확인 1 7을 5와 2로 가르기를 하여 15에서 5를 먼저 빼고 남은 10에서 2를 빼면 8입니다.

1 (1) 5를 1과 4로 가르기를 하여 11에서 1을 먼저 빼고 남은 10에서 4를 빼면 6입니다.
(2) 13을 10과 3으로 가르기를 하여 10에서 6을 빼고 남은 4와 3을 더하면 7입니다.

2 15를 10과 5로 가르기를 하여 10에서 8을 빼고 남은 2와 5를 더하면 7입니다.

$$15 - 8 = 7$$
$$10\;\; 5$$

3 (1) 9를 7과 2로 가르기를 하여 17에서 7을 먼저 빼고
남은 10에서 2를 빼면 8입니다.

$$17-9=8$$
$$\underset{7\quad 2}{\wedge}$$

(2) 8을 3과 5로 가르기를 하여 13에서 3을 먼저 빼고
남은 10에서 5를 빼면 5입니다.

$$13-8=5$$
$$\underset{3\quad 5}{\wedge}$$

4 (1) 15를 10과 5로 가르기를 하여 10에서 6을 빼고
남은 4와 5를 더하면 9입니다.

(2) 12를 10과 2로 가르기를 하여 10에서 7을 빼고
남은 3과 2를 더하면 5입니다.

1단계 | **교과서 개념**   **148~149**쪽

확인 **1** (1) 6, 5, 4 (2) 7, 8, 9 (3) 7, 7, 7

1 (1) 4, 3, 1 (2) 7, 7, 1
2 (1) 5, 6, 7 (2) 8, 8, 8
3 (1) 8, 7, 6 (2) 9, 9, 9

확인 **1** (1) 왼쪽 수는 모두 13이고, 오른쪽 수는 1씩 커지므
로 차는 1씩 작아집니다.

(2) 오른쪽 수는 모두 7이고, 왼쪽 수는 1씩 커지므
로 차는 1씩 커집니다.

(3) 1씩 커지는 수에서 1씩 커지는 수를 빼면 차는
항상 똑같습니다.

2 (1) 오른쪽 수는 항상 같고 왼쪽 수가 1씩 커지면 차도 1
씩 커집니다.

(2) 왼쪽 수와 오른쪽 수가 각각 1씩 커지면 차는 항상
똑같습니다.

3 (1) 11-3=8,
11-4=7,
11-5=6
(2) 15-6=9,
16-7=9,
17-8=9

2단계 | **교과서+익힘책 유형 연습**   **150~151**쪽

1 9
2 (왼쪽에서부터) 7, 8
3 (왼쪽에서부터) 2, 8
4 (1) (왼쪽에서부터) 4, 7
(2) (왼쪽에서부터) 6, 7
5 (1) 7 (2) 8   **6** 3, 4, 5
7

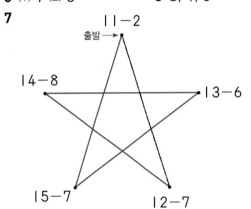

출발→ 11-2
14-8   13-6
15-7   12-7

8 ㄹ
9 13-6=7 ; 7대
10 예 $\boxed{14} - \boxed{5} = \boxed{9}$
(또는 $\boxed{19} - \boxed{14} = \boxed{5}$, $\boxed{19} - \boxed{5} - \boxed{14}$)
11 윤서
12

17 − 8 = 9	5
15	13 − 5 = 8
14 − 7 = 7	6
19	12 − 4 = 8

1 사과 16개에서 7개를 먹었으므로 남은 사과는 9개입
니다.
⇨ 16-7=9

2 9를 7과 2로 가르기를 하여 17에서 7을 먼저 빼고 남
은 10에서 2를 빼면 8입니다.

$$17-9=8$$
$$\underset{7\quad 2}{\wedge}$$

3 8을 6과 2로 가르기를 하여 16에서 6을 먼저 빼고 남
은 10에서 2를 빼면 8입니다.

$$16-8=8$$
$$\underset{6\quad 2}{\wedge}$$

4 (1) 7을 4와 3으로 가르기를 하여 14에서 4를 먼저 빼고 남은 10에서 3을 빼면 7입니다.

$$14-7=7$$
$$\quad\quad\;\; 4\;\; 3$$

(2) 16을 10과 6으로 가르기를 하여 10에서 9를 빼고 남은 1과 6을 더하면 7입니다.

$$16-9=7$$
$$\quad 10\;\; 6$$

5 (1) $15-8=7$
$$\quad\quad\;\; 5\;\; 3$$

(2) $12-4=8$
$$\quad 10\;\; 2$$

6 왼쪽 수는 항상 같고 오른쪽 수가 1씩 작아지면 차는 1씩 커집니다.

⇨ $11-8=3, 11-7=4, 11-6=5$

7 $11-2=9,$
$15-7=8,$
$13-6=7,$
$14-8=6,$
$12-7=5$

8 ㉠ $11-4=7$, ㉡ $15-9=6$,
㉢ $13-8=5$, ㉣ $12-3=9$
⇨ $9>7>6>5$이므로 계산 결과가 가장 큰 것은
㉣ $12-3=9$입니다.

9 (남아 있는 자동차 수)
=(처음에 있던 자동차 수)−(빠져나간 자동차 수)
=$13-6=7$(대)

10 • 모자의 수에서 목도리의 수를 빼는 뺄셈식
⇨ $14-5=9$
• 전체 수에서 모자의 수를 빼어 목도리의 수를 구하는 뺄셈식 ⇨ $19-14=5$
• 전체 수에서 목도리의 수를 빼어 모자의 수를 구하는 뺄셈식 ⇨ $19-5=14$

11 건우: $15-8=7$, 윤서: $12-4=8$
⇨ $7<8$이므로 윤서가 이겼습니다.

12 $13-5=8,$
$14-7=7,$
$12-4=8$

3단계 | 서술형 문제 해결　152~153쪽

1 ❶ 12 ❷ 14 ❸ 12, 14, 승현 ; 승현
2 ❶ 7, 7 ❷ 9, 5 ❸ 7, 5, 12 ; 12
3 ❶ 4, 7 ❷ 11, 7, 18 ; 18
4 예 ❶ 혜민이가 가지고 있는 공책은 12권이고, 안나가 가지고 있는 공책은 $12-6=6$(권)입니다. ▶3점
❷ 따라서 혜민이와 안나가 가지고 있는 공책은 모두 $12+6=18$(권)입니다. ▶3점
; 18권 ▶4점

채점 기준		
안나가 가지고 있는 공책 수를 구한 경우	3점	
두 사람이 가지고 있는 공책 수의 합을 구한 경우	3점	10점
답을 바르게 쓴 경우	4점	

단원평가 1 회　154~155쪽

1 14, 4
2 (왼쪽에서부터) 2, 15
3 (1) 16 (2) 9
4 (○)(　)
　(　)(○)
5 13, 9　　　　　**6** 7, 7, 7
7 7, 8, 15 (또는 8, 7, 15)
8 13쪽　　　　　**9** 6개
10 예 성중이가 먹은 과일은 $7+6=13$(개)입니다. ▶2점
유진이가 먹은 과일은 $9+5=14$(개)입니다. ▶2점
$13<14$이므로 유진이가 먹은 과일 수의 합이 더 큽니다. ▶2점
; 유진 ▶4점

1 5와 9를 모으면 10과 4가 되어 14가 됩니다.
14는 10과 4로 가르기를 할 수 있습니다.

2 7을 2와 5로 가르기를 하여 8과 2를 먼저 더해 10을 만들고 남은 5를 더하면 15입니다.

3 (1) $7+9=16$　　(2) $15-6=9$
$$\quad\quad\;\; 3\;\; 6 \quad\quad\quad\quad\quad\;\; 5\;\; 1$$

4 14−8=6, 16−9=7, 15−7=8, 12−6=6

5 6+7=13, 13−4=9

6 14−7=7, 15−8=7, 16−9=7

8 5+8=13(쪽)

9 (하정이가 더 가지고 있는 구슬 수)
＝(하정이가 가지고 있는 구슬 수)
　　−(진수가 가지고 있는 구슬 수)
＝14−8=6(개)

10

채점 기준		
성중이가 먹은 과일 수의 합을 구한 경우	2점	
유진이가 먹은 과일 수의 합을 구한 경우	2점	10점
먹은 과일 수의 합이 누가 더 큰지 구한 경우	2점	
답을 바르게 쓴 경우	4점	

단원평가 ②회　　156~157쪽

1 (왼쪽에서부터) 4, 8
2 (1) (왼쪽에서부터) 2, 14　(2) (왼쪽에서부터) 4, 6
3 9, 9
4

5 >
6

7 15, 단 ; 17, 팥 ; 13, 빵
8 6개 ; 9+6=15
9 예 별 모양 쿠키의 수에서 달 모양 쿠키의 수를 빼면
　　14−6=8입니다. ▶3점
　　따라서 별 모양 쿠키는 달 모양 쿠키보다 8개 더 많
　　습니다. ▶3점 ; 8개 ▶4점
10 7

1 6을 4와 2로 가르기를 하여 14에서 4를 먼저 빼고 남은 10에서 2를 빼면 8입니다.

2 (1) 6을 2와 4로 가르기를 하여 8과 2를 먼저 더해 10을 만들고 남은 4를 더하면 14입니다.
(2) 14를 10과 4로 가르기를 하여 10에서 8을 빼고 남은 2와 4를 더하면 6입니다.

3 왼쪽 수와 오른쪽 수가 각각 1씩 커지면 차는 항상 똑같습니다.

4 8+5=13,
7+4=11,
9+3=12

5 13−4=9, 15−7=8
⇨ 9>8

6 분홍색: 2+9=1+1+9
　　　　　　＝1+10=11
노란색: 8+5=8+2+3
　　　　　　＝10+3=13
파란색: 4+7=1+3+7
　　　　　　＝1+10=11

7 ·7+8=5+2+8=5+10=15
　　　⇨ 단
·9+8=9+1+7=10+7=17
　　　⇨ 팥
·4+9=3+1+9=3+10=13
　　　⇨ 빵

9

채점 기준		
별 모양 쿠키와 달 모양 쿠키의 수의 차를 구하는 식을 쓴 경우	3점	
별 모양 쿠키는 달 모양 쿠키보다 몇 개 더 많은지 구한 경우	3점	10점
답을 바르게 쓴 경우	4점	

10 $4+8=12 \Rightarrow \blacksquare=12$

$\blacksquare-7=\blacktriangle \Rightarrow 12-7=5, \blacktriangle=5$

$\blacktriangle+6=\bullet \Rightarrow 5+6=11, \bullet=11$

$12>11>5$이므로 가장 큰 수는 12이고, 가장 작은 수는 5입니다.

따라서 $\blacksquare$, $\blacktriangle$, $\bullet$ 중 가장 큰 수와 가장 작은 수의 차는 $12-5=7$입니다.

---

1 · $11-9=2$이므로 오른쪽으로 2칸 갑니다.

· $11-8=3$이므로 아래쪽으로 3칸 갑니다.

· $13-8=5$이므로 오른쪽으로 5칸 갑니다.

· $10-8=2$이므로 아래쪽으로 2칸 갑니다.

2 $7+7=14, 13-9=4, 12-7=5,$

$6+5=11, 15-6=9, 14-7=7,$

$9+9=18, 4+8=12$

3 $6+7=13,$

$2+9=11,$

$8+7=15$

4 개구리가 7마리, 다람쥐가 9마리이므로 동물들은 모두 $7+9=16$(마리)입니다.

창의융합＋실력UP   158~159쪽

1

2

3 ➡ 물고기 모양과 상관없이 숫자만 맞으면 정답입니다.

4 $7+9=16$; 16마리

우등생 세미나   160쪽

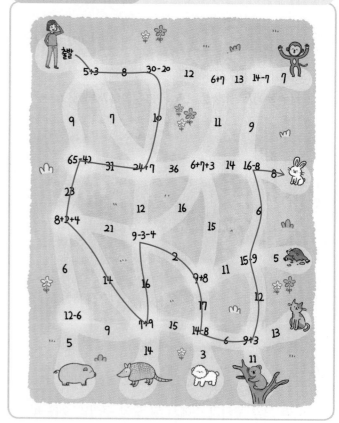

$5+3=8, 30-20=10, 24+7=31,$

$65-42=23, 8+2+4=14, 7+9=16,$

$9-3-4=2, 9+8=17, 14-8=6,$

$9+3=12, 15-9=6, 16-8=8$

1 단원 100까지의 수

1~6

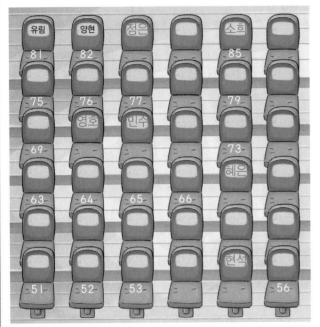

유림	양현	정은		소희	
81	82			85	
75	76	77		79	
	영호	민수			
69				73	
				혜은	
63	64	65	66		
				현석	
51	52	53			56

7

2 → 4 → 24
    5 → 25
    8 → 28
    9 → 29

8

4 → 2 → 42
    5 → 45
    8 → 48
    9 → 49

9

5 → 2 → 52
    4 → 54
    8 → 58
    9 → 59

10

8 → 2 → 82
    4 → 84
    5 → 85
    9 → 89

11

9 → 2 → 92
    4 → 94
    5 → 95
    8 → 98

12 20

13

14

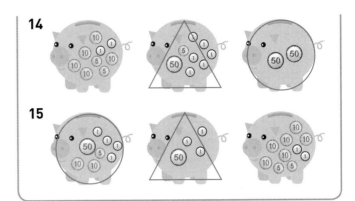

15

3 84보다 1만큼 더 작은 수는 83입니다.

4 83보다 큰 홀수는 85, 87⋯⋯인데 좌석에서 찾아보면 85입니다.

5 53과 57 사이에 있는 홀수는 55입니다.

6 10개씩 묶음이 7개인 수는 70입니다.

13 59원, 86원, 44원 ⇨ 86원>59원>44원

14 62원, 61원, 100원 ⇨ 100원>62원>61원

15 79원, 53원, 72원 ⇨ 79원>72원>53원

1 6개   **2** 구십구, 아흔아홉
3 81, 80, 79, 77, 76
4 74에 ○표   **5** ㉠, ㉢, ㉡
6 ㉡   **7** 98
8 예 10장씩 묶음 7개와 낱개 6장은 76장이므로 소영이는 색종이를 76장 가지고 있고, ▶2점 10장씩 묶음 8개와 낱개 4장은 84장이므로 고은이는 색종이를 84장 가지고 있습니다. ▶2점
따라서 76<84이므로 고은이가 색종이를 더 많이 가지고 있습니다. ▶2점 ; 고은 ▶4점
9 희수, 세민, 남주
10 예 65보다 크고 72보다 작은 수는 66, 67, 68, 69, 70, 71입니다. ▶2점 이 중 10개씩 묶음의 수가 낱개의 수보다 큰 수는 70, 71입니다. ▶2점
70과 71 중에서 짝수는 70입니다. ▶2점
; 70 ▶4점

2 낱개의 수가 1씩 커지므로 98 다음의 수는 99입니다. 99를 두 가지 방법으로 읽으면 구십구 또는 아흔아홉입니다.

3 수의 순서를 거꾸로 세는 것이므로 1씩 작아지도록 씁니다.
82보다 1만큼 더 작은 수: 81,
81보다 1만큼 더 작은 수: 80,
80보다 1만큼 더 작은 수: 79,
78보다 1만큼 더 작은 수: 77,
77보다 1만큼 더 작은 수: 76

4 73보다 1만큼 더 큰 수는 74입니다.

5 ㉠ 82 ㉡ 76 ㉢ 78

6 ㉡ 90보다 1만큼 더 큰 수는 91입니다.

7 태민이가 이긴 것이므로 태민이가 만든 수는 세진이가 만든 수인 94보다 더 큰 수입니다.
주어진 수로 만들 수 있는 몇십몇을 큰 수부터 차례로 쓰면 98, 94, 92, 89⋯⋯입니다. 이 중 94보다 큰 수는 98이므로 태민이가 만든 수는 98입니다.

8

채점 기준		
소영이가 가지고 있는 색종이의 수를 구한 경우	2점	
고은이가 가지고 있는 색종이의 수를 구한 경우	2점	10점
누가 색종이를 더 많이 가지고 있는지 구한 경우	2점	
답을 바르게 쓴 경우	4점	

9 선생님이 뽑은 64보다 큰 수를 뽑은 사람은 75, 98, 92를 뽑은 희수, 세민, 남주입니다.
57, 63은 64보다 작으므로 초희와 보라는 초콜릿을 받을 수 없습니다.

10

채점 기준		
65보다 크고 72보다 작은 수를 구한 경우	2점	
주어진 범위에서 10개씩 묶음의 수가 낱개의 수보다 큰 수를 구한 경우	2점	10점
설명하는 수를 바르게 구한 경우	2점	
답을 바르게 쓴 경우	4점	

2단원 덧셈과 뺄셈(1)

사고력 평가   7~9쪽

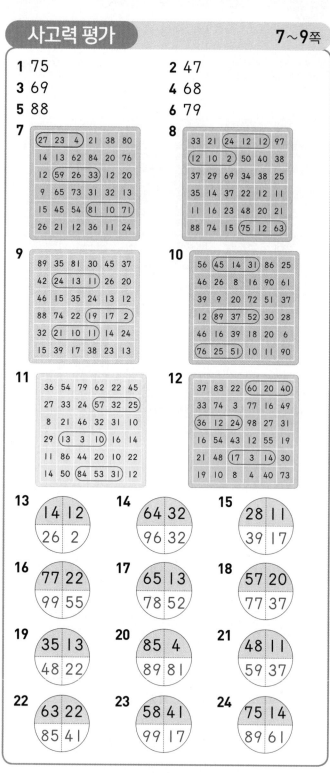

1 75   **2** 47
3 69   **4** 68
5 88   **6** 79

7 59-26=33, 81-10=71

8 24-12=12, 12-10=2, 75-12=63

9 24-13=11, 19-17=2, 21-10=11

10 $45-14=31, 89-37=52, 76-25=51$

11 $57-32=25, 13-3=10, 84-53=31$

12 $60-20=40, 36-12=24, 17-3=14$

13 색칠한 곳에 쓰인 두 수의 합을 아래의 왼쪽에, 차를 아래의 오른쪽에 써넣은 규칙입니다.

실력 🞤 서술형 문제　　　　10~11쪽

1 (1) 98 (2) 17　　**2** $87, 61$
3 $<$　　**4** ⑤
5 (1) 83 (2) 75　　**6** 빨간색 구슬, 4개
7 23　　**8** $78, 43$
9 예) 민지는 $42+4=46$(쪽) 읽었으므로 ▶3점
　　현수와 민지가 읽은 동화책은 모두
　　$42+46=88$(쪽)입니다. ▶3점
　　; 88쪽 ▶4점
10 예) 만들 수 있는 가장 큰 수는 98이고, 가장 작은 수는 25입니다. ▶3점
　　따라서 두 수의 차는 $98-25=73$입니다. ▶3점
　　; 73 ▶4점
11 32장　　**12** 4개

2 합: $74+13=87$
　차: $74-13=61$

3 $50+42=92, 32+61=93$
　⇨ $92<93$

4 ① $80-20=60$　② $20+40=60$
　③ $70-10=60$　④ $30+30=60$
　⑤ $90-40=50$

5 보기의 규칙은 〇$+12=$◇입니다.
　(1) 71 $+12=$ 83
　(2) 63 $+12=$ 75

6 빨간색 구슬: 38개,
　파란색 구슬: 34개
　$38>34$이므로 빨간색 구슬을 $38-34=4$(개) 더 많이 모았습니다.

7 ●$=24$이므로 $24+24=$▲, ▲$=48$입니다.
　▲$=48$이므로 ▲$-25=48-25=23$,
　★$=23$입니다.

8 낱개의 수끼리의 차가 5인 $49-24$와 $78-43$을 계산하면 $49-24=25, 78-43=35$이므로 차가 35가 되는 두 수는 43과 78입니다.

9 주의
　민지가 읽은 동화책의 쪽수를 구하는 것이 아니라 현수와 민지가 읽은 동화책의 쪽수의 합을 구해야 합니다.

채점 기준		
민지가 읽은 동화책의 쪽수를 구한 경우	3점	
현수와 민지가 읽은 동화책의 쪽수를 구한 경우	3점	10점
답을 바르게 쓴 경우	4점	

10

채점 기준		
가장 큰 수와 가장 작은 수를 만든 경우	3점	
두 수의 차를 구한 경우	3점	10점
답을 바르게 쓴 경우	4점	

11 (사용하고 남은 색종이 수)$=15-12=3$(장)
　친구에게 받은 색종이 수를 □장이라 하면
　$3+□=35, 35-3=□, □=32$입니다.
　따라서 친구에게 받은 색종이는 32장입니다.
　참고
　3에 어떤 수를 더하여 35가 되려면 35에서 3을 빼면 됩니다.

12 □ 안에 9부터 1까지의 수를 차례로 넣어 계산해 봅니다.
　$95-31=64, 85-31=54, 75-31=44,$
　$65-31=34, 55-31=24 \cdots\cdots$
　계산한 값이 29보다 큰 경우는 □ 안에 9, 8, 7, 6이 들어갈 때이므로 □ 안에 들어갈 수 있는 수는 모두 4개입니다.

3 단원 **여러 가지 모양**

사고력 평가 12~14쪽

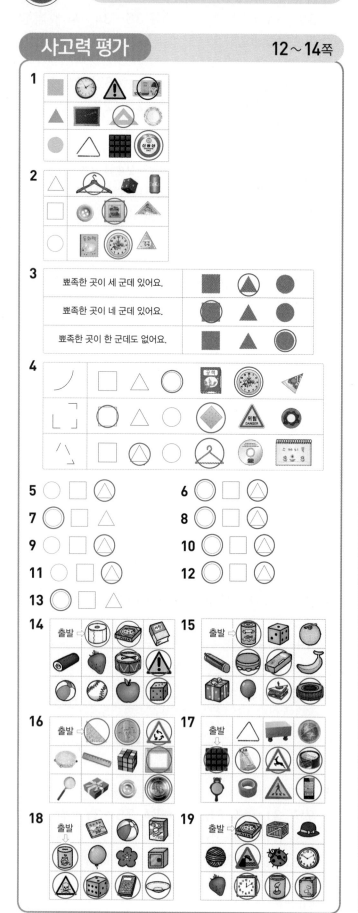

뽀족한 곳이 세 군데 있어요.		
뽀족한 곳이 네 군데 있어요.		
뽀족한 곳이 한 군데도 없어요.		

실력❸서술형 문제 15~16쪽

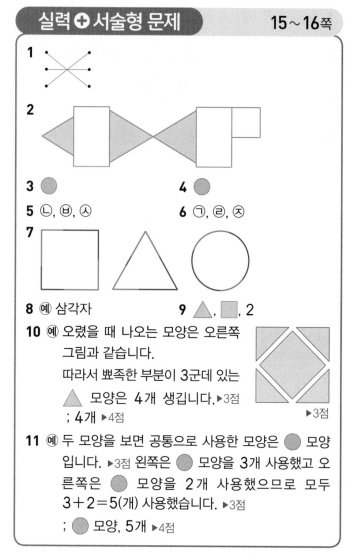

3 ⬤　　　4 ⬤

5 ㉡, ㉤, ㉦　　6 ㉠, ㉣, ㉧

8 예 삼각자　　9 ▲, ■, 2

10 예 오렸을 때 나오는 모양은 오른쪽 그림과 같습니다.
따라서 뽀족한 부분이 3군데 있는 ▲ 모양은 4개 생깁니다. ▶3점
; 4개 ▶4점 ▶3점

11 예 두 모양을 보면 공통으로 사용한 모양은 ⬤ 모양입니다. ▶3점 왼쪽은 ⬤ 모양을 3개 사용했고 오른쪽은 ⬤ 모양을 2개 사용했으므로 모두 3+2=5(개) 사용했습니다. ▶3점
; ⬤ 모양, 5개 ▶4점

1 과자 상자는 ■ 모양, 동전은 ⬤ 모양, 삼각자는 ▲ 모양을 본뜰 수 있습니다.

2 ▲ 모양은 3개입니다.

3 그림처럼 오이를 썰면 ⬤ 모양이 나타납니다.

4 국기에서 찾을 수 있는 모양은 ■ 모양과 ▲ 모양입니다.

5 뽀족한 부분이 4군데 있는 모양은 ■ 모양입니다.

7 ■ 모양은 뽀족한 부분과 반듯한 선이 각각 4개씩 되도록 그립니다.
▲ 모양은 뽀족한 부분과 반듯한 선이 각각 3개씩 되도록 그립니다.
⬤ 모양은 꺾이는 부분 없이 한번에 그립니다.

8 설명하는 모양은 ▲ 모양입니다.

9 ■ 모양 |개, ▲ 모양 3개

⇨ ▲ 모양은 ■ 모양보다 3−|=2(개) 더 많이 찾을 수 있습니다.

10

채점 기준		
오렸을 때 나오는 모양을 알아본 경우	3점	
뽀족한 부분이 3군데 있는 모양과 수를 구한 경우	3점	10점
답을 바르게 쓴 경우	4점	

11

채점 기준		
공통으로 사용한 모양을 바르게 찾은 경우	3점	
공통으로 사용한 모양의 수를 바르게 구한 경우	3점	10점
답을 바르게 쓴 경우	4점	

④ 단원 덧셈과 뺄셈 (2)

사고력 평가
17~19쪽

1 3, | **2** 2, 2 **3** 4, |

4 3, 2, 4, 9(3, 2, 4의 순서가 바뀌어도 정답입니다.)
; |, 2, |, 4(|, 2, |의 순서가 바뀌어도 정답입니다.)

5 |0 **6** 9 **7** 6

8 2 **9** 3 **10** 4

11 5 **12** |0, 2, 8

13 |0, 7, 3 **14** |0, 4, 6

15 |0, |0, 0 **16** |0, |, 9

17 |0, 3, 7 **18** |0, 6, 4

1 사람 발자국은 2개씩 3쌍이므로 3명이고, 강아지 발자국은 4개씩 |쌍이므로 |마리입니다.

2 사람 발자국은 2개씩 2쌍이므로 2명이고, 강아지 발자국은 4개씩 2쌍이므로 2마리입니다.

3 사람 발자국은 2개씩 4쌍이므로 4명이고, 강아지 발자국은 4개씩 |쌍이므로 |마리입니다.

4 학생은 3+2+4=9(명)이고,
강아지는 |+2+|=4(마리)입니다.

11 펼친 손가락이 5개이므로 접고 있는 손가락은
|0−5=5(개)입니다.

12 펼친 손가락이 2개이므로 접고 있는 손가락은
|0−2=8(개)입니다.

13 펼친 손가락이 7개이므로 접고 있는 손가락은
|0−7=3(개)입니다.

14 펼친 손가락이 4개이므로 접고 있는 손가락은
|0−4=6(개)입니다.

15 펼친 손가락이 |0개이므로 접고 있는 손가락은
|0−|0=0(개)입니다.

실력➕서술형 문제
20~21쪽

1 9−4−3= 2
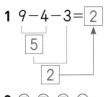

2 4+|+9= |4
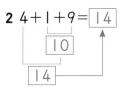

3 ©, ③, ②, © **4** (1) 7, |5 (2) 6, |8

5

6 |8마리

7 예 9−2−4=7−4=3이므로 □는 3보다 작은 수입니다. ▶3점
|부터 9까지의 수 중에서 3보다 작은 수는 |과 2이므로 □ 안에 들어갈 수 있는 수는 모두 2개입니다. ▶3점
; 2개 ▶4점

8 2 **9** 8, |

10 |5권 **11** 영호, |마리

12 |3

13 예 사용하고 남은 색종이는 |0−3=7(장)이고 ▶3점
7장에서 몇 장을 주었더니 2장이 남았으므로 친구에게 준 색종이의 수는 7−2=5(장)입니다. ▶3점
; 5장 ▶4점

평가자료집

1 9에서 4를 먼저 뺀 후 남은 수 3을 뺍니다.

3 ㉠ 8+2+3=13   ㉡ 5+5+5=15
　　㉢ 2+9+1=12   ㉣ 4+3+7=14
　　⇨ ㉢ 12 < ㉠ 13 < ㉣ 14 < ㉡ 15

4 (1) 3과 더해서 10이 되는 수는 7입니다.
　　(2) 4와 더해서 10이 되는 수는 6입니다.

5 두 수를 바꾸어 더해도 합이 같습니다.

6 8+7+3=8+10=18(마리)

7
채점 기준		
9−2−4를 계산하여 □는 3보다 작은 수 라고 쓴 경우	3점	
□ 안에 들어갈 수 있는 수는 모두 몇 개인지 구한 경우	3점	10점
답을 바르게 구한 경우	4점	

8 어떤 수를 □라 하면 □+4=10에서 □=6이므로 어떤 수는 6입니다. 따라서 바르게 계산하면 6−4=2입니다.

9 맨 앞의 수에서 3과 어떤 수를 차례로 빼서 4가 되려면 맨 앞의 수에서 3을 뺀 수는 4보다 커야 합니다. 따라서 □−3은 4보다 커야 하므로 □ 안에는 8이 들어가야 합니다.
　　8−3−△=5−△=4에서 △=1입니다.

10 (화평이가 읽은 동화책의 수)=10−5=5(권)
　　(두 사람이 읽은 동화책의 수)=10+5=15(권)

11 민수: 6+7+4=17(마리)
　　영호: 8+1+9=18(마리)
　　⇨ 영호가 18−17=1(마리) 더 많이 접었습니다.

12 2+8=■ ⇨ ■=10
　　■−4=10−4=6 ⇨ ●=6
　　●+4+3=6+4+3=13 ⇨ ◆=13

13
채점 기준		
사용하고 남은 색종이의 수를 구한 경우	3점	
친구에게 준 색종이의 수를 구한 경우	3점	10점
답을 바르게 쓴 경우	4점	

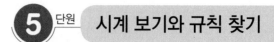

⑤ 단원 **시계 보기와 규칙 찾기**

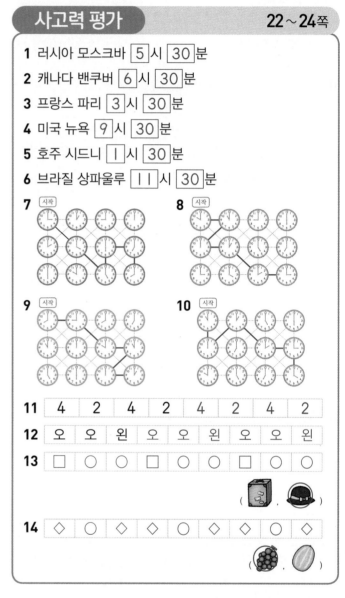

6 브라질 상파울루의 시각은 11시 30분입니다.

> **참고**
> 대한민국 서울과 브라질 상파울루의 시각이 같지만 상파울루가 서울보다 12시간 느린 시각입니다. 서울은 12월 31일 오후 11시 30분이고, 상파울루는 12월 31일 오전 11시 30분입니다.

12 오른쪽을 향한 벌−오른쪽을 향한 벌−왼쪽을 향한 벌을 오오왼으로 나타내었습니다.

13 가방−모자−모자를 □○○로 나타내었습니다.

14 포도−참외−포도를 ◇○◇로 나타내었습니다.

실력 ⊕ 서술형 문제　　25~26쪽

1 노란색　　　　　　　　2 3, 30

3 ○ △ □ ○ △ □ ○ △

4 9, 10, 6

5 (예) 13부터 시작하여 10씩 커집니다.

6 (예) 18부터 시작하여 7씩 커집니다.

7 1시 30분　　　　　　　8 ㉡

9 65　　　　　　　　　 10 8시 30분

11 (예) 가는 9시 30분, 나는 4시 30분, 다는 2시, 라는
　　 7시에 일어난 일입니다. ▶3점
　　 따라서 일이 일어난 순서에 따라 차례대로 기호를
　　 쓰면 다, 나, 라, 가입니다. ▶3점
　　 ; 다, 나, 라, 가 ▶4점

2 짧은바늘이 3과 4 사이, 긴바늘이 6을 가리키므로 3시
　 30분입니다.

5 노란색으로 색칠한 수는 13, 23, 33, 43이므로 13
　 부터 10씩 커지는 규칙이 있습니다.

6 파란색으로 색칠한 수는 18, 25, 32, 39, 46이므로
　 18부터 시작하여 7씩 커지는 규칙이 있습니다.

7 거울에 비친 시계의 모습은 시계의 왼쪽과 오른쪽이 서
　 로 바뀐 모습과 같습니다. 짧은바늘이 1과 2 사이, 긴바
　 늘이 6을 가리키므로 1시 30분입니다.

8 ㉠ 40 ㉡ 47 ㉢ 53 ㉣ 69이므로 낱개의 수만 비교하
　 면 9>7>3>0입니다. 따라서 낱개의 수가 두 번째로
　 큰 수는 ㉡ 47입니다.

9 세로로 있는 수들에서 규칙을 찾아보면 48 → 55에서
　 7씩 커지는 규칙입니다. 따라서 ♥에 알맞은 수는 58
　 보다 7만큼 더 큰 수인 65입니다.

10 7시와 9시 사이이면서 8시보다 늦은 시각은 8시와 9시
　 사이이고, 긴바늘이 6을 가리키므로 8시 30분입니다.

11

채점 기준		
가, 나, 다, 라의 시각을 모두 구한 경우	3점	
일이 일어난 순서에 따라 차례대로 기호를 쓴 경우	3점	10점
답을 바르게 쓴 경우	4점	

6 단원　덧셈과 뺄셈 (3)

사고력 평가　　27~29쪽

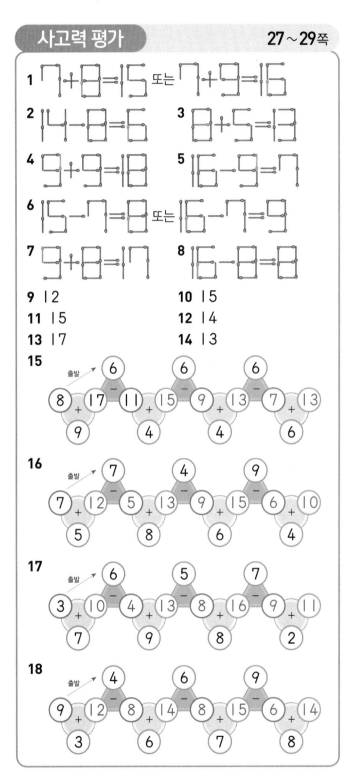

9 12　　　　　　　　 10 15
11 15　　　　　　　　 12 14
13 17　　　　　　　　 14 13

1 9를 8로 바꾸어 7+8=15가 되도록 하거나,
　 15를 16으로 바꾸어 7+9=16이 되도록 합니다.

2 5를 6으로 바꾸어 14-8=6이 되도록 합니다.

3 0을 8로 바꾸어 8+5=13이 되도록 합니다.

실력➕서술형 문제 30~31쪽

1 (왼쪽에서부터) (1) 15 ; 15, 5 (2) 11 ; 11, 1
2 (○)( )
( )(○)
3 15, 9　　　　　　　　**4** ㉡, ㉢, ㉠, ㉣
5 (위에서부터) 5, 비 ; 8, 빔 ; 4, 밥
6 14−8=6 ; 6장
7

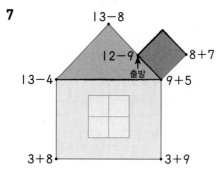

8 9
9 예 지난주와 이번 주에 마신 우유는 5+7=12(병)입
니다. ▶3점
따라서 다음 주에 마시게 될 우유는 12−6=6(병)
입니다. ▶3점
; 6병 ▶4점
10 3　　　　　　　　　　**11** 9
12 3마리

---

1 (1) 7과 8을 모으면 10과 5가 되어 15가 되고, 15는
10과 5로 가르기를 할 수 있습니다.

(2) 9와 2를 모으면 10과 1이 되어 11이 되고, 11은
10과 1로 가르기를 할 수 있습니다.

2 8+5=13, 6+6=12,
7+5=12, 9+4=13
따라서 합이 13인 덧셈식은 8+5, 9+4입니다.

3 7+8=15, 15−6=9

4 ㉠ 6+7=13
㉡ 8+9=17
㉢ 7+8=15
㉣ 6+6=12
따라서 17>15>13>12이므로 계산 결과가 큰 것
부터 차례로 기호를 쓰면 ㉡, ㉢, ㉠, ㉣입니다.

5 12−7=10−5=5(비)
　　ㅤ2　5
16−8=10−2=8(빔)
　　ㅤ6　2
13−9=10−6=4(밥)
　　ㅤ3　6

7 덧셈과 뺄셈을 하여 합과 차의 크기를 비교한 후 결과가
작은 것부터 차례로 이어 그림을 완성합니다.

8 3씩 커지는 규칙으로 놓여 있습니다.
㉠: 6+3=9, ㉡: 15+3=18
⇨ 18−9=9

9

채점 기준		
지난주와 이번 주에 마신 우유의 수를 구한 경우	3점	10점
다음 주에 마시게 될 우유의 수를 구한 경우	3점	
답을 바르게 쓴 경우	4점	

10 38−25=13이므로 13>9+□입니다.
13−9=4이므로 □ 안에 들어갈 수 있는 수는 4보다
작은 3, 2, 1입니다.
따라서 □ 안에 들어갈 수 있는 가장 큰 수는 3입니다.

11 11−5=6이므로 14−□는 6보다 작아야 합니다.
14−8=6이므로 나머지 한 장의 카드에 적힌 수는 8
보다 커야 합니다.
따라서 지혜의 카드 빈칸에 적힌 수는 8보다 큰 9입니
다.

12 강아지 다리는 4개이므로 강아지 2마리의 다리는
4+4=8(개)입니다. 마당에 있는 닭의 다리는
14−8=6(개)입니다. 닭의 다리는 2개이고
2+2+2=6이므로 닭은 3마리입니다.

우등생 세미나 32쪽

❶ 6　　❷ 4　　❸ 30　　❹ 5　　❺ 30